解開自然現象之謎

新雅文化事業有限公司
www.sunya.com.hk

大開眼界小百科
解開自然現象之謎

作者：欽齊亞・邦奇（Cinzia Bonci）、馬里奧・托齊（Mario Tozzi）
插圖：亞哥斯提諾・特萊尼（Agostino Traini）
翻譯：陸辛耘
責任編輯：胡頌茵
美術設計：何宙樺
出版：新雅文化事業有限公司
香港英皇道499號北角工業大廈18樓
電話：(852) 2138 7998
傳真：(852) 2597 4003
網址：http://www.sunya.com.hk
電郵：marketing@sunya.com.hk
發行：香港聯合書刊物流有限公司
香港新界大埔汀麗路36號中華商務印刷大廈3字樓
電話：(852) 2150 2100
傳真：(852) 2407 3062
電郵：info@suplogistics.com.hk
印刷：中華商務彩色印刷有限公司
香港新界大埔汀麗路36號
版次：二〇一七年七月初版

ISBN: 978-962-08-6839-9

Published by arrangement with Atlantyca S.p.A.
Original Title: Le Magie Della Natura
Text by Cinzia Bonci, Mario Tozzi
Original cover and internal illustrations by Agostino Traini
18/F, North Point Industrial Building, 499 King's Road, Hong Kong
Published and printed in Hong Kong

嘿！你準備好跟我一起去旅行了嗎？

在這趟旅程中，我貓頭鷹導遊將帶你去探尋大自然的神奇魔力：我們會從七色的彩虹開始研究，然後去探索雨和雪、閃電和打雷的秘密；接着，我們將乘着風的翅膀，去學習什麼是氣旋和龍捲風，大火又是怎樣形成的。最後，我們將一起在四季裏穿行，並嘗試去弄清白天與黑夜交替的原因。

如果你覺得我的講解有些複雜，那就請你仔細看看插畫，你會發現一切都變得容易許多。為了幫助理解，我還把難懂的詞語變成了紅色：如果你遇到這樣的詞彙，而你不知道它的意思，就請翻到「詞彙解釋」這一頁上去尋找答案。

另外，在看完每一章後，我們都可以稍作休息，利用每章末尾的圖或提示文字回顧一下旅程中的一些重點。

祝你旅途愉快！

目錄

彩虹

天空陰沉沉的，又是閃電，又是打雷。

安德烈和卡特琳娜正在家裏玩耍。看見這樣恐怖的場景，他們不禁鑽到牀底下躲了起來。

突然，他們看見一道光透進了房間。真是太奇怪了！雨明明還在下啊！他們好奇地探出腦袋，發現天邊竟然出現了一道彩虹！他們立刻不覺得害怕了，還迫不及待地朝花園跑去，興高采烈地跳起了彩虹之舞。

小朋友，你有看見過彩虹嗎？你有沒有想過天空為什麼會出現彩虹呢？快快翻到下一頁，找出答案吧！

彩虹是一道由彩色的光組成的拱形光線。當陽光遇見雨水時，它就會出現在天空上。

可是，這個魔法究竟是怎樣變出來的呢？

要把這個問題解釋清楚，我們就得從陽光開始說起。

你知道陽光是什麼顏色的嗎？它看起來好像是白色的，可是並不是這樣呢！

陽光是由七種顏色組成的，這些顏色總是按照固定的次序排列：紅、橙、黃、綠、藍、靛、紫，稱為太陽光譜。

你不相信嗎？你可以在家裏做個實驗看看，請先準備一個玻璃杯、一張白紙、一張黑色紙、膠紙和剪刀。當你看到陽光透進窗戶的時候，就把白紙放在窗前的桌上。然後，在玻璃杯上用膠紙把黑色紙貼上固定，再用剪刀在黑色紙的中間部分剪出一條1厘米寬的縫隙。接着，把盛滿水的玻璃杯放在白紙上。很快，你就會發現神奇的事情發生了：白紙上出現了七種不同顏色的光線，簡直就像變魔術一樣！

貓頭鷹告訴你

彩虹總是帶給人類無限的驚奇與遐想，所以世界各地的人們流傳着許多許多關於彩虹的故事：比如印第安人的納瓦霍族，他們就認為，彩虹是擁有奇異魔力的神靈。

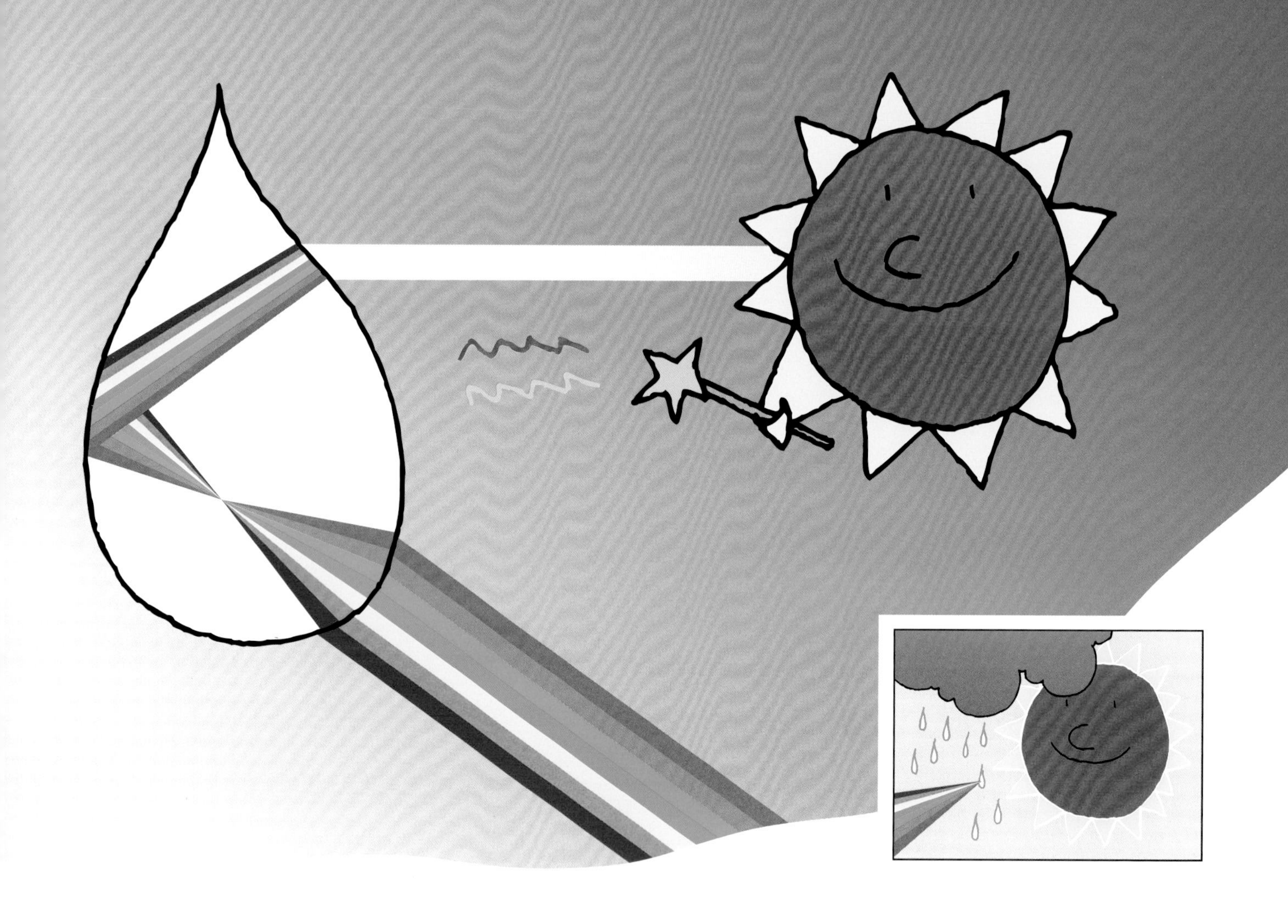

當陽光照射在小雨滴上，天空中出現了一道美麗的彩虹。彩虹是由七種顏色組成的，大多在大雨後、清晨或傍晚時分才會出現。這樣神奇的彩虹到底是怎樣形成的呢？

當陽光照射而下，遇到天空中細小的水滴時，光線進入水滴內就會被折射而改變前進的方向。由於陽光是由不同「顏色」的光所組成，而每一種顏色的光線都會以不同的角度屈曲，各自按照不同的路線前進，於是水滴內不同顏色的光線便被分開來了。然後，陽光在水滴中會發生反射的情況——就像照鏡子一樣。接着，當陽光穿出水滴時，會再次發生折射的情況，最後不同顏色的光線一個挨着一個地離開水珠，這就形成了彩虹。

你知道嗎，你也可以試試讓彩虹出現喔！怎麼做呢？其實很簡單！你只需要把一根水管連接着水龍頭，就能做到了。

現在，請你面向太陽，拿着水管，然後打開水龍頭，用拇指使勁按在水管口上。當水管噴出水柱，你會看見陽光穿透水滴，很快眼前就會出現了……一道美麗的彩虹！

貓頭鷹告訴你

科學家們用一個科學的詞彙來描述光線方向的改變，那就是「折射」。其實，光線的這種變化，看起來就像是一根放在水杯裏的吸管。不信，你仔細瞧瞧！

不過，你在天空中看到的彩虹，其實只是它的一小部分。如果你能從高處看——比如在飛機上或是一座高山上，你就會發現，彩虹居然是一個圓形！

而當你在地面上的時候，就只能看見它的一段，也就是像一道拱門似的。

有時，要是你幸運的話，說不定還能看見天空中同時出現兩道彩虹呢！

到底雙彩虹是怎樣形成的呢？

當陽光在水滴內進行了兩次反射，就會出現第二道彩虹，稱為霓。

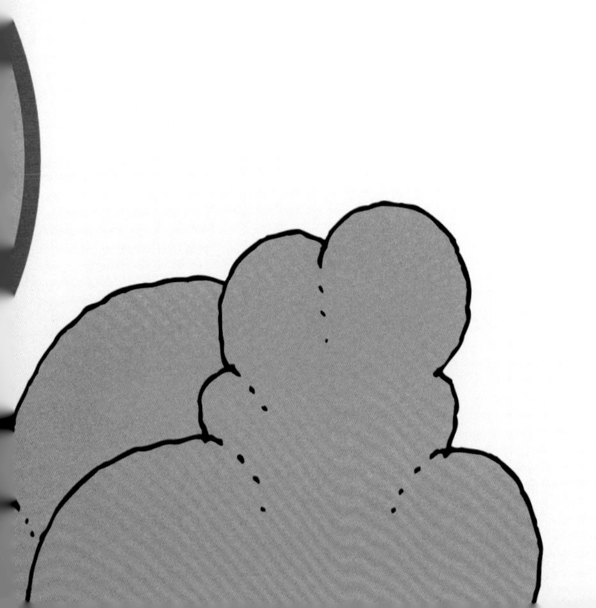

貓頭鷹告訴你

你知道什麼時候最容易看見美麗的彩虹嗎？告訴你吧，是在夏天！尤其是在清晨或是黃昏時分，因為那時太陽距離地平線最近。

如果雨滴很大，那麼彩虹的顏色就會很鮮豔。當雨滴逐漸變小，彩虹也會慢慢褪色，直到變成一種耀眼的白色。

有時，即使在霧天，你也能看見一道發光的白拱出現在天邊，人們稱它為「霧虹」，霧虹只呈現白色，因此有時被稱為「白色的彩虹」。

在北極圈和南極圈，當陽光穿過由冰晶構成的雲朵時，還能變出其他壯觀的光學現象呢。

要知道，彩虹可不只在雨天才會出現啊！在山裏，當陽光照射到瀑布濺起的水花時，同樣也會現出美麗的彩虹！真是太讓人驚歎了！

貓頭鷹告訴你

你知道嗎，除了太陽可以製造彩虹之外，月亮也可以呢！當月亮的光線穿透了雨滴，並發生了反射，就會出現「月虹」。不過，月虹的顏色十分暗淡，我們很少有機會可以看見。

現在就讓我們回顧一下與彩虹相關的知識。你懂得回答以下的問題嗎？說說看。

彩虹什麼時候會出現在天空呢？

它是怎樣形成的呢？

彩虹有多少種顏色？

從高處看，彩虹是什麼形狀的呢？

你有辦法讓彩虹出現嗎？

在大霧天裏，光線會製造出哪種自然現象呢？

詞彙解釋

光譜

是「光學頻譜」的簡稱。當光線通過一些物質（例如三稜鏡）就會被分散成為不同顏色的光線。

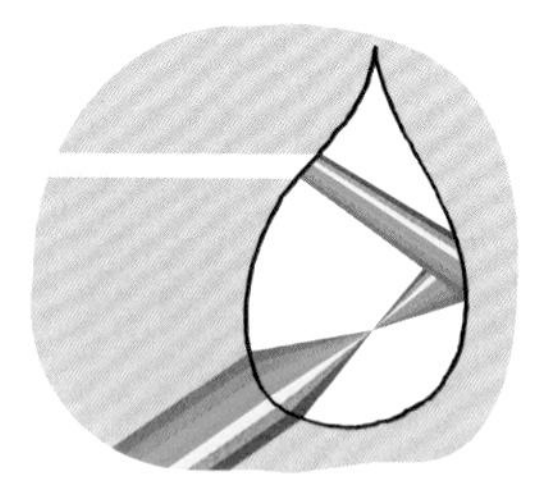

折射

光線穿過水滴時，會改變方向。不過，在發生改變後，光線裏每一種顏色的前進路線都是不一樣的。

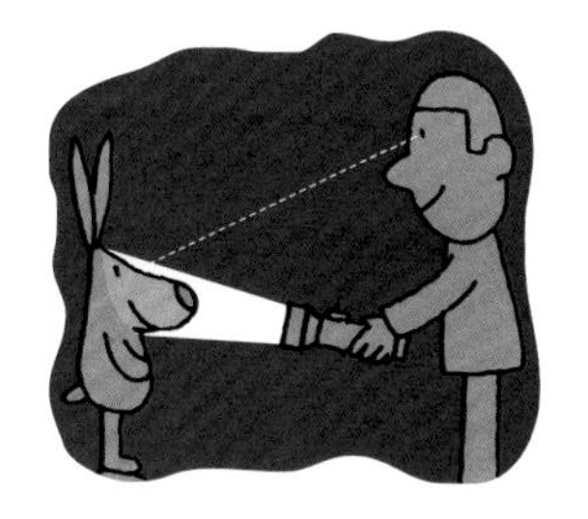

反射

當光線照射到物體上時，會像皮球一樣發生反彈，然後原路返回的物理現象。

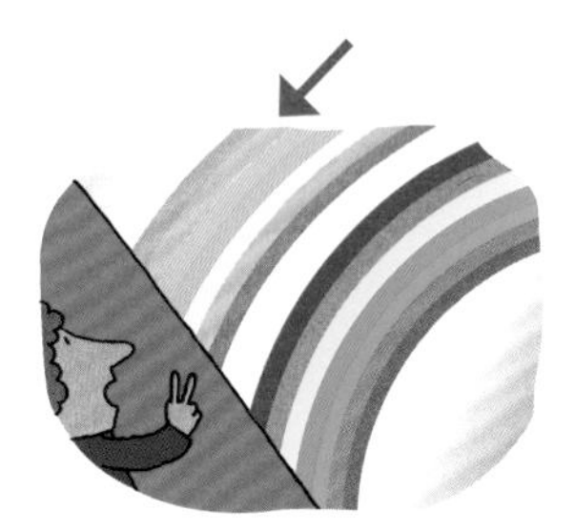

霓

當天空中同時出現兩道彩虹時，第二道顏色較淡的彩虹就叫「霓」，它的顏色次序跟正常的那一道（主虹）相反。

地平線

當你在戶外向遠方眺望時，會覺得看到了一條線，這條線就叫做「地平線」。它是天空和大地（或海洋）交匯的地方。

冰晶

在天氣很冷時，空氣中的水珠結成了微小的冰粒。

雨和雪

如果沒有它，這個世界上就不可能有生命的存在，人們也不可能種植莊稼，不可能吃到水果、蔬菜，還有米飯；如果沒有它，這個世界上就不可能有大海、河流和湖泊的存在，動物和人類也將無法生活；如果沒有它，整個地球將是一片荒蕪的沙漠，在原本該是魚兒游泳的地方，將會變成一大片岩石和泥土……

你知道它是什麼嗎？沒錯，它就是地球上所有生命都不可缺少的元素——水。

可是，水到底是怎樣變成雨和雪，然後從天上降下來的呢？接着它又會往哪裏去呢？就讓我們跟隨着小水滴，一起展開奇妙的旅程去看個究竟吧！

小水滴從天上落下來，變成了雨水。它可能會滲進土壤，鑽入地下流動，跟其他雨水匯合形成河流，最後流入大海；它又可能會和地下水匯合，成為泉水，慢慢形成巨大的湖泊或水塘；它也可能會降下落在海裏。到了大海之後，小水滴會因為太陽的熱力而蒸發變成水蒸氣，然後上升回到天空中。

此外，小水滴也有另一種方式轉化成水蒸氣呢。當它落入土壤後，它可能會被植物的根吸收，成為養料。最後，植物的水分會經由葉子排出，以水蒸氣的形式回到天空中，這個現象就是植物的蒸騰作用。

當水蒸氣跟隨熱空氣上升，當上升的熱空氣逐漸冷卻時，水蒸氣會慢慢凝結成小水滴，形成雲朵。

你看，地球上的水就是這樣不停重複地轉移：從雲裏落到地上，再從地上返回到雲裏。這個過程稱為「水循環」。

貓頭鷹告訴你

你想更清楚地了解「水循環」這個現象是如何形成的嗎？其實，這就像我們平時在爐子上燒水的過程，你可以在成人的陪同下試試觀察一下。當水加熱達至攝氏100度時，便會沸騰並轉化為水蒸氣。這時，我們在鍋子上蓋上一個蓋子。很快，你就會發現，一旦水蒸氣碰到溫度較低的鍋蓋表面，它就會立刻凝結變成水珠，然後落下到鍋子中。

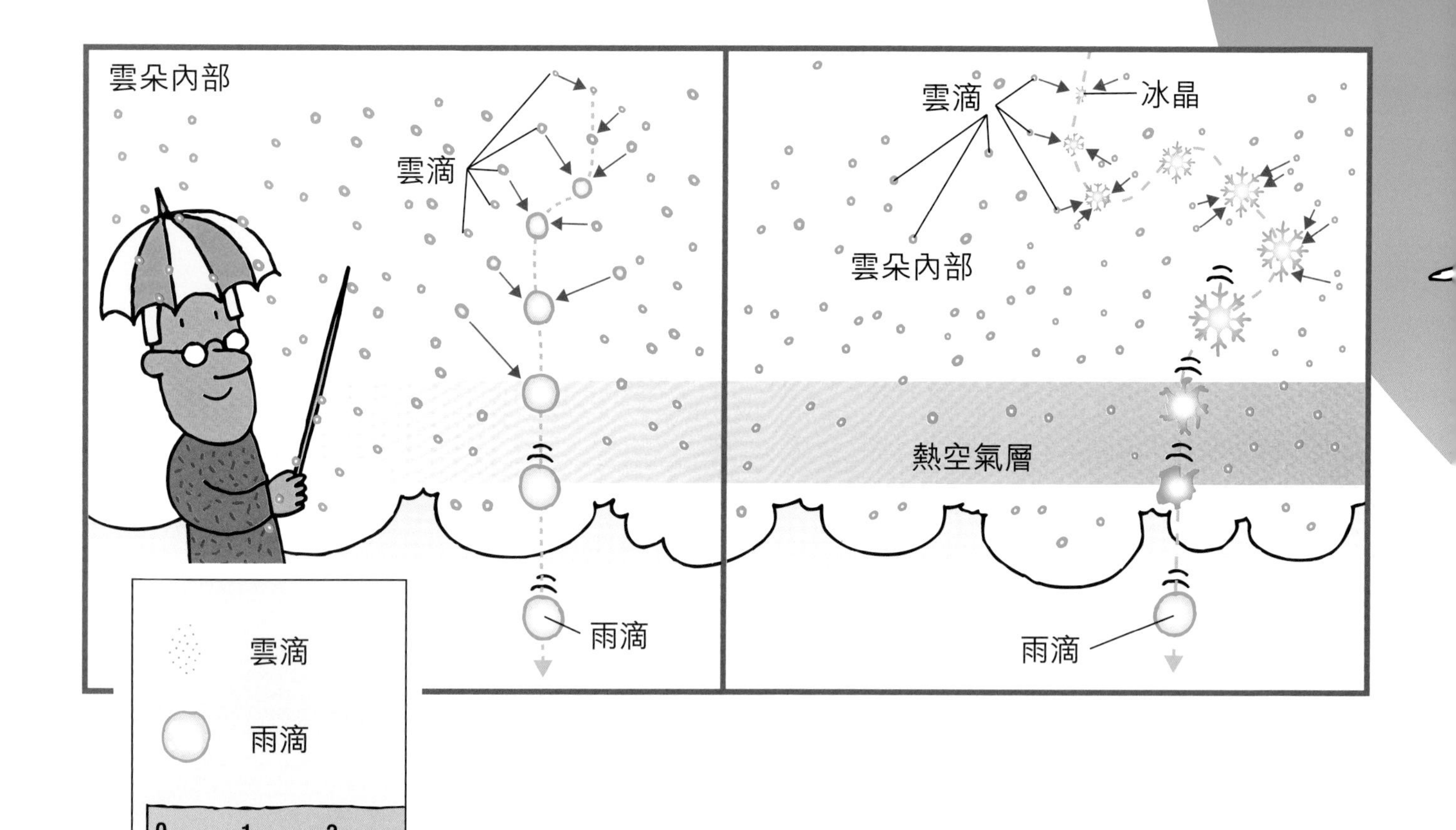

因為形成雲朵的小水滴十分細小，所以並不會立刻落到地上。可是，在雲朵內部，這些水滴會互相碰撞，然後聚合在一起，漸漸變得越來越大，形成「雲滴」。當雲滴變得太重，便會從天空中掉下來，變成了「雨滴」，這就是雨水！

假如空氣的溫度十分低，空氣中的水蒸氣便會凝結成為細小的冰晶。這些冰晶會吸收附近的水氣，就這樣，它們吸收了水滴，變得又大又重，最後落向地面。在降落的過程中，冰晶會穿越熱空氣層並融化，最後還是會變成雨滴。

你知道哪種雲朵最有可能為我們帶來雨水嗎？答案可不是右頁圖中那些雪白鬆軟、又薄又高的「卷雲」。因為這種雲朵裏的水蒸氣很少，所以它的形狀輕薄，一縷一縷的，看起來就像是為天空蓋了一層面紗。

其實，那些一團團灰暗色的雲朵——積雲，才是最有可能為我們帶來降雨和惡劣的天氣。積雨雲是一種高聳的雲朵，頂部平坦呈白色，底部卻呈現灰暗的顏色。這是由於雲朵高，它內部的水滴便會不停地上上下下、來來回回地反覆移動，形成了越來越大顆的水滴，當它變得太重時，便會從天空中落下，變成雨水。除了積雲之外，形似棉花的雨雲也會帶來大雨，尤其是在它們又密又黑的時候。

貓頭鷹告訴你

天空會落下鹹的雨水嗎？當然不會。

雖然海水是鹹的，但當海水被太陽的熱力蒸發上升變成雲，海水中的鹽分微粒並不會化成水蒸氣升上天空。所以，從天空落下的雨水不會是鹹的。

天上落下的雨水並不全是一樣的。有時候，我們幾乎感覺不到正在下雨，那是因為這樣的雨水是由細密又輕盈的水滴組成。可是有時候，當天空中出現廣闊的雨雲帶時，就會為該地區帶來暴雨，雨滴變得很大滴而密集。當暴雨來臨時，大量的雨水可能在數小時裏就會淹沒街道和村莊，甚至帶來洪水，造成破壞。

不過，要說最為壯觀的降雨現象，那一定非暴風雨莫屬。暴風雨是一種劇烈的氣候變動，不過持續的時間往往很短。這是因為一股濕熱的空氣升起，把大氣層變得極其不穩定，造成龐大的降雨量。暴風雨伴有狂風，天空中還會有閃電劃過：閃電是大自然界中強烈的放電現象，天空中會出現一道道明亮奪目的閃光。通常，在看見閃電之後，你還會聽到雷聲。這是因為在閃電的同時，雲朵還會放出龐大的熱能，使周圍的空氣受熱膨脹，因而發生爆炸。

可是，為什麼我們總是先看見閃電，然後才會聽到雷聲呢？這是因為……光跑得比聲音快！

氣象站使用雨量計來測量降雨量。這個工具的一部分有如漏斗，負責把雨水收集到一個帶有刻度的容器裏。這樣我們就能知道，在某一段時間裏，例如1小時、1天、1個月或是1年裏，到底落下了多少毫米的雨水。

貓頭鷹告訴你

香港位於亞熱帶，每年平均降雨量超過2,000毫米。在地球上，世界各個地區的降雨量分布不均。例如熱帶雨林地區雨水充足，每年降雨量高達10,000毫米，一年中可能有150多天是雨天。在沙漠地區，氣候卻十分乾旱，每年降雨量只有不到250毫米。不過，你知道嗎，地球上有一片大陸是從來不會下雨的，那就是南極洲！因為南極洲的空氣濕度很低，就像是一片……結了冰的沙漠！

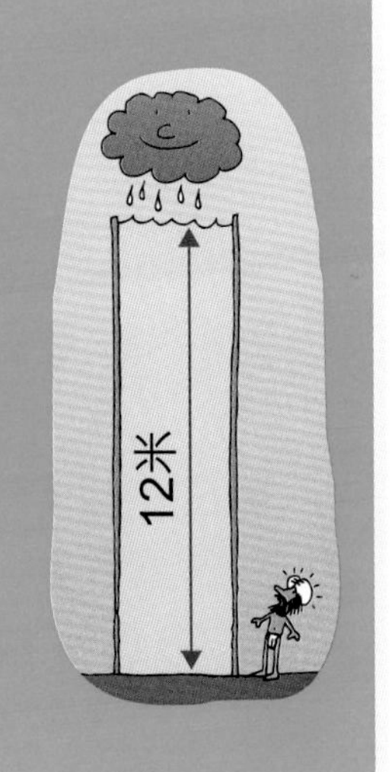

當空氣十分寒冷，溫度低至攝氏0度（即冰點）左右的時候，空氣中的水蒸氣便會凝結成為細小的冰晶而不是水滴了。這些冰晶會通過許多不同的方式合併到一起，於是就形成了雪花。在降雪的過程中，可能會落下幾百億、幾千億的雪花，可神奇的是，居然沒有兩片雪花的細節是完全一樣的！如果把一片雪花放到顯微鏡底下觀察，你就會發現，它並不是球形的，而是組成了一個六角形的圖案，表面上看似扎滿了冰針，朝各個方向發散，像極了一顆長滿角的小星星。

在雪花降落到地面的過程中，會穿過空氣。空氣的溫度和濕度會影響雪花的形狀和大小。如果空氣的溫度低於攝氏零度，就會形成呈粉末狀的雪花；相反，如果空氣的溫度接近零度，就會形成較大的雪花。

如果那個地區的天氣足夠寒冷，那麼冰晶在落到地上之後便不會融化，這就是下雪了。空氣中的冰晶和水蒸氣不停黏合，直到形成一層結實的冰雪。這時，我們就可以在上面滑雪，堆一個可愛的雪人，或是盡情地打一場雪仗啦！

貓頭鷹告訴你

有時候，從雲朵裏還會落下一顆顆細小的冰粒，那就是冰雹。那麼冰雹到底是怎樣產生的呢？

在暴風雨雲中，當小水滴被強風推上到雲朵中最高、最寒冷的區域時，就會凝固結冰。接着，由於重量增加了，冰晶就會掉下，被另一滴水滴包圍，然後再次上升，這時覆蓋在它外面的這層水也會發生凝固，然後再次掉下。就這樣，這些冰晶會翻來覆去，每次上升時表面都會多結一層新的冰，變得越大越大，直到變成一顆小冰粒。當冰粒變得太重時，便會從雲層上掉下來，那就是冰雹了。

現在就讓我們回顧一下，看看雨和雪是怎樣形成的吧！請你根據下面的圖畫說說看。

❶ 水的循環

❷ 雨是怎樣形成的呢？

❸ 哪一種雲最有可能為我們帶來降雨呢？

❹ 天上落下的雨水，雨勢時大時小。有時候，我們幾乎感覺不到正在下雨，然而有時候雨勢卻是……

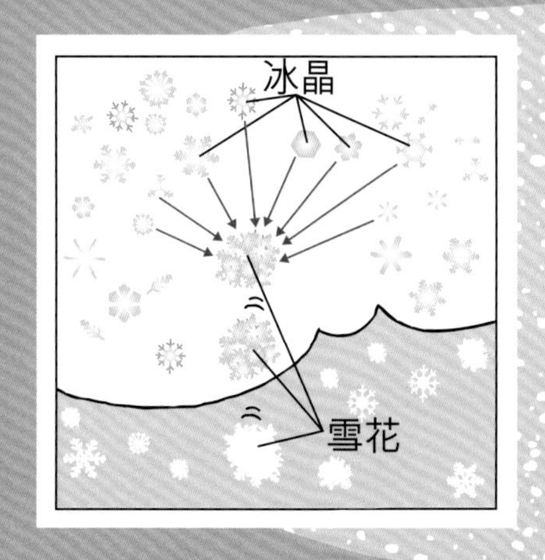

❺ 雪是怎樣形成的呢？

❻ 如果氣溫非常寒冷，那麼雪花就會很小，要是氣溫接近攝氏零度……

詞彙解釋

水蒸氣 指氣態的水。當水達到沸點時，水就會由液態蒸發成為氣態。在大自然中，我們看不見水蒸氣，因為它在空氣裏化成了非常微小的水滴。

蒸騰作用 指植物把水分排出的過程，這就像我們的身體會出汗一樣。植物的水分會經由葉子上的氣孔排出，散發到空氣中變成霧一般的水蒸氣。

凝結 指水從氣態變成液態。

氣候變動 由大氣層中氣流的不穩定運動而形成的惡劣天氣。

氣象站 指為取得氣象資料而建成的觀測站，設有不同的儀器來收集天氣的數據，幫助了解地區性的天氣。

滑雪 體育運動項目之一。在滑雪時，人們會穿上雪靴，並把雙腳套在兩條長條形的薄板上，手持着一雙滑雪杖在雪地上滑行。

閃電和打雷

在大自然界，氣象瞬息萬變，讓人驚歎大自然的威力，大家快來猜猜以下是哪一種自然現象吧。有時候，它會嚇你一大跳，有時候呢，你會先看到它，然後你知道要做好心理準備，迎接快要來臨的一聲巨響。有時候，它還會在瞬間照亮你昏暗的房間，發出一道寒光，並轟在地面的物體上。

你知道答案了嗎？沒錯，它就是閃電！它還有個形影不離的伙伴，也就是打雷，它們都是雲朵的兒女，和風暴與雨水也有着緊密的關係。

雷電是從哪裏來的？到底它們是怎樣形成的呢？想知道答案，就趕快和我開始一場刺激的旅行，一起去探索這兩種神奇的自然現象吧！

自古以來，閃電這個自然現象一直讓人類好奇不已。比如古羅馬人，他們認為閃電是天神朱庇特為了懲罰人類而投下人間的利箭。在意大利語中，「Saetta」是雷電的意思，而這個詞來源於拉丁語「Sagitta」，也就是「箭」的意思。

而維京人，在他們看來，閃電的出現是因為雷神用自己的巨斧敲打物體時所擦出的火花。維京人的看法雖然奇怪，但他們認為閃電是「大氣中的火花」，這個觀點卻已經相當接近這一自然現象的本質了。事實上，閃電是一種強烈的放電現象，情況就像人們把兩塊燧石互相摩擦時所產生的火花，只是它的速度極快，其威力遠比擊打燧石時所產生的那種火花威力更強大。

當閃電出現在天空中時，其實當中發生了很多次的放電現象，只是因為它在瞬間發生，速度太快，所以看起來好像只有一次。在閃電發生以前，其實已經有許多看不見的電流被釋放到地面。這些電流在雲朵和地面間搭起了一條空氣管道，為即將到來的閃電鋪好道路。

閃電的形狀很像一根樹幹，樹幹上會伸出好多彎彎曲曲的小樹枝來，相信你已經見過很多次了！不過你能想像嗎，一道閃電的長度，可以達到15公里呢！

貓頭鷹告訴你

你知道嗎，原來閃電有好幾種不同的顏色呢，例如有紅色、藍色、黃色和白色！這是由於在閃電產生的過程中受到不同天氣的因素影響，例如發生閃電的位置高度、放電過程產生的熱能和雲層的厚度等。

現在，讓我們來看看閃電究竟是怎樣形成的吧。

在天氣惡劣的時候，你會看見天空中布滿了烏雲——這些雲朵叫做「積雨雲」，要知道，在一朵雲裏架在着正電荷與負電荷。當暴風雨即將來臨的時候，正負電荷就會彼此分開。這是由於雲朵中水滴、冰晶和冰粒發生了碰撞，這過程中把電荷分開了。於是，正電荷全都聚集到了雲朵的頂層，而負電荷呢，則全都跑到了雲朵的底層。

與此同時，在地面上也積聚了和雲朵底層相反的電荷。當兩種電荷之間的差別達到一定程度時，就會引起感應作用，產生放電的現象，閃電便隨之產生了。

其實，閃電並不只是一股電流強光，它還會產生大量的熱能。

被閃電擊中的大樹

當閃電到達地面時，它的溫度甚至可能超過華氏15,000度（即約攝氏8,315度）。這樣的熱能足以把樹木燒成灰燼，把沙子熔化！要記住閃電是一種十分危險的天文現象，要是人們被閃電擊中，很可能會立即死亡！

閃電除了出現在雲層和地面之間外，也可能會出現在雲層之間（這種現象更為常見。）當閃電衝向地面時，會選擇最短的路徑。所以，一切高聳的物體，比如樹木、煙囪或是摩天大樓，都很容易成為它們的攻擊對象，因為這些物體會縮短它們到達地面的路程。

貓頭鷹告訴你

人們常常會問，高樓大廈真的會較容易被閃電擊中嗎？你這也許是真的，不信你看紐約著名的摩天大樓——帝國大廈。在短短一年的時間裏，它就曾經遭到多達48次閃電的攻擊！

當閃電到出現時，它會把熱能傳遞給附近的空氣。於是，空氣的溫度就會在瞬間上升好幾千度。當空氣受熱了就會發生急劇的膨脹和振動，也就是說它所佔據的空間，比原先要大了許多。可是很快，空氣又會冷卻下來，而它所佔據的空間，也會回到原來的大小。你可以把這個情況想像成一個被吹漲了的氣球，但又很快漏了氣。

這樣的膨脹和收縮，令空氣產生了巨大的衝擊和強烈的振動，從而產生了「聲波」。這情況就如同你把一顆石子投入水中，水面會激起波紋一樣。這也說明了閃電是可以製造聲音的。而雷聲，就是這樣形成的。

你知道為什麼有些雷聲很沉悶，還持續很長的時間，有些雷聲卻很短，而且還很清脆呢？這和閃電的距離有關。當你越接近閃電出現的地方，雷聲便會越響，你會聽到一記乾脆利索的擊打聲；如果你距離閃電很遠，就會聽到又長又低沉的轟隆聲，因為聲波會在山丘間來回反射，聲音也就會一遍又一遍地重複了。

那麼以後你再聽到雷聲，就不用感到害怕啦！因為你已經知道，它不過是個噪音而已！

貓頭鷹告訴你

你知道嗎？其實閃電和打雷是同時發生的。然而，由於聲音的速度要比光慢了許多，每秒不到350米！而光的速度是世界上最快的，能達到每秒30萬公里！因此，你會先看到閃電，片刻之後才聽到雷聲。

你知道嗎，有關閃電和打雷的問題，有一個地方的研究是最權威的，那就是氣象站了。在氣象站裏，有許多氣象專家在工作着，而且還配備了許多複雜的儀器，能夠預測出天空中雲朵的變化。為了提高準確度，氣象專家們會使用很多很多觀測中心，而且遍布世界各地！

通過觀測天空，氣象專家們還能對天氣作出預測，並通過廣播或電視進行通知，也就是我們所說的「天氣預報」。

此外，氣象學家們還嘗試透過拍照來記錄各種天氣現象，例如給閃電拍攝照片。不過，這可一點兒也不容易，因為閃電的速度實在太快，只是一眨眼的功夫就不見了。所以，要想拍下閃電的照片，就得尋找天空中頻繁出現閃電的區域，而且要隨時做好拍攝的準備。當然，在捕捉到一道閃電之前，他們可能得白白拍下好多張沒用的照片！

如果暴風雨來臨，外面出現閃電又打雷，你應該怎麼做呢？如果你正好在室內，那就不用擔心了，因為在城市裏，大部分的大樓屋頂上都裝有避雷針，可以把電流傳導到地面去。

可如果你身處戶外空曠的地方，那就得小心了！記住一定要遠離樹木，因為高聳的樹木會吸引閃電。可以的話，最好躲進汽車裏，因為汽車會把電流傳到地面，作用相當於避雷針。不過，千萬要記住，不能觸碰和車身連接的金屬部分，因為金屬是一種導體，要是碰了金屬，就很可能會觸電了！

貓頭鷹告訴你

你知道嗎？閃電不只會在暴風雨中形成，還有可能在活火山的山頂出現呢！日本九州鹿兒島縣櫻島火山就曾經在爆發期間出現「火山閃電」的壯觀自然現象。這是由於火山爆發時，噴出大量的火山灰、熔岩和石頭發生碰撞的結果。

現在就讓我們回顧一下與雷電相關的知識。你懂得回答以下的問題嗎？說說看。

閃電是怎樣形成的？

人們怎樣比喻閃電的現象呢？

當閃電發生時，所產生的熱能最高可達到華氏多少度呢？

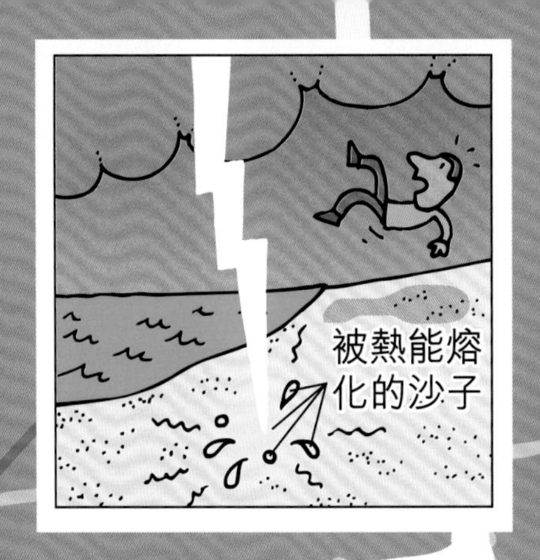

打雷時怎樣產生的？

哪個地方專門研究閃電和打雷呢？

暴風雨來臨時，若你正在室外，你可以躲在哪裏呢？

詞彙解釋

放電　當一個帶有正電荷(＋)的物體與一個帶有負電荷(－)的物體碰撞時，釋放出能量的現象。

積雨雲　是一種高聳的雲朵，內部氣流不穩定，頂部平坦仿似鐵砧。這種雲會帶來雷暴。

電荷　電荷是指帶有正電或負電的基本粒子。帶有正電的基本粒子稱為正電荷；帶負電粒子稱為負電荷。

聲波　由物體振動所產生的空氣波浪，是聲音的傳播形式。聲音可以透過氣體、液體和固體傳播。

避雷針　是一種金屬棒，大多安裝在建築物的屋頂或汽車上，能夠通過電線吸引閃電的能量，並將它傳到地面，避免建築物遭到雷電的破壞。

導體　能夠使電流通過的物體。

風

彼得羅和基婭拉決定假扮成海盜：他們找來寶劍，還把手帕綁在頭上，作為頭巾……

可是上哪兒去弄海盜船呢？這可簡單！用一個大箱子代替就行！他們又拿來一張牀單當作船帆，還翻出了一面骷髏旗！

就這樣，他們登上了自己的海盜船……這時，一陣大風突然颳起。船帆和旗幟開始迎風飄揚，看起來真的像是在海裏一樣！

因為有了風，海盜船的遊戲一下子變得有趣起來。

可是，你有沒有想過，風到底是什麼呢？你又是否知道，風到底是從哪裏來的嗎？就讓我們一起乘着風的翅膀，一起找出答案吧！

要認識什麼是風之前，我們得先從空氣說起。

在我們周圍，到處都是空氣。我們不斷地呼吸空氣，卻幾乎沒有察覺到它，那是因為空氣是透明的。

空氣可以是熱的，也可以是冷的。熱空氣較輕，總是想方設法地升向天空高處，而冷空氣呢，則恰恰相反，喜歡往底處鑽。

當大量的熱空氣升向高處，冷空氣就會流到熱空氣的下方，取代熱空氣原來的位置。這種空氣的流動，便形成了風。

貓頭鷹告訴你

熱空氣真的總是往上跑嗎？要求證這個問題，你可以在大人的陪同下嘗試做以下的實驗！請你拿出一張四腳的凳子把它倒轉放在地上，並在凳腳上套上一個打開了的膠袋，然後在凳子的背面放上一個點燃了的酒精燈。（記得要小心避免膠袋接近火源！）很快，你就會發現這個膠袋會慢慢地飄起來！這證明了熱空氣會上升，就是上升的熱空氣把膠袋托起來的！

你可不要小看了風的力量！它無時無刻都在發揮着自己的作用。

它能改造自然，吹動天空高處的雲朵，播撒植物的種子，還能使風箏和熱氣球飛起來。不僅如此，它還能製造海裏的波浪，吹鼓船帆，推動風帆可以在水中滑行。

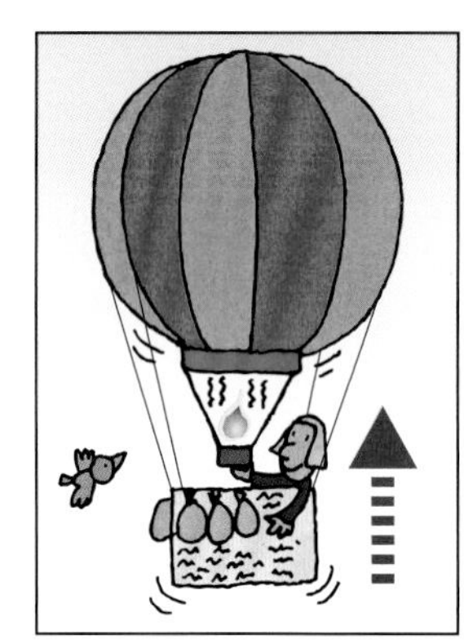

貓頭鷹告訴你

你知道嗎？很久以前，人類已懂得利用風力來幫助工作。人們發明了一種「風車磨坊」裝置，那就是在一座磨坊外裝上一個巨大的風車扇頁。它利用風力推動扇葉旋轉時所產生的能量來帶動磨坊裏的機械運作，研磨穀物或製作麪粉，這樣人們工作時就省力得多了。

風的力量可大可小，風力越大，風的速度就會越快。人們一般把風力分為這方法把風力分為0至12級，即共十三種級別，稱為蒲福氏風級。級數越高，代表風力越大。每級均有相應的術語來描述風力，例如「和緩」、「清勁」和「強風」。

無風時，就是0級。微風，就是會令樹葉搖動不息，旗幟飄揚的那種風，風力屬於3至4級。

至於「強風」，它的風力則屬於6至7級，會把傘子吹翻，樹木的樹枝被吹得來回搖晃，海面出現大浪。當風力達到8至9級時，稱為「烈風」，這很可能表示風暴快要來臨了，這種強勁的風力可能會帶來巨大的破壞，造成人命傷亡和財物損失，光是想想都讓人覺得害怕呢。在海裏掀起滔天巨浪，把房子的屋頂掀掉，甚至掀翻車輛，或是把一顆小火苗變成一場危險的火災，因為在烈風的吹拂之下，火焰就會越來越大。在這種情況下，就連走路都會變得困難。

「暴風」的風力則達到10至11級，能把大樹吹得連根拔起！至於「颶風」，那就更可怕了：它的風力達到12級，甚至可以把房屋和汽車都吹上天空！

貓頭鷹告訴你

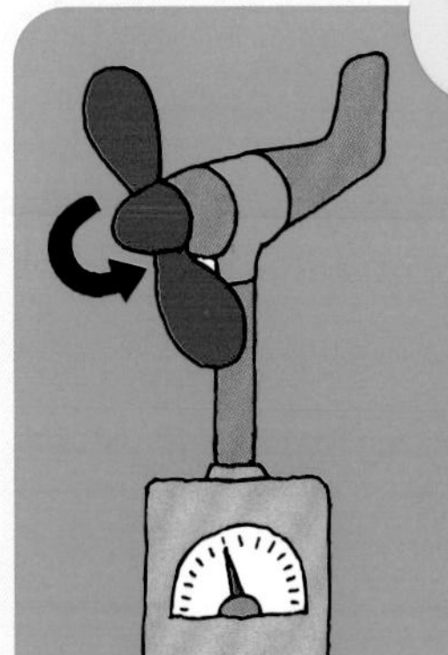

你知道測量風速的工具叫什麼名字嗎？它叫「風速計」。風會使風速計上的扇葉旋轉，儀器會記錄旋轉的次數，旋轉的次數越多，表示風的速度越快。此外，在風速計儀表上，有一根紅色指針，它在標有1到12的數字錶盤上指出風力的數值。

從不同方向吹來的風，它們的名字也不一樣。

請看下面的這張圖片，這是「風向頻度圖」。從前的水手們就是利用它來確定風吹來的方向。從西伯利亞（也就是北方）吹來的是冷風，而從非洲（也就是南方）吹來的，則是熱風。

風向頻度圖

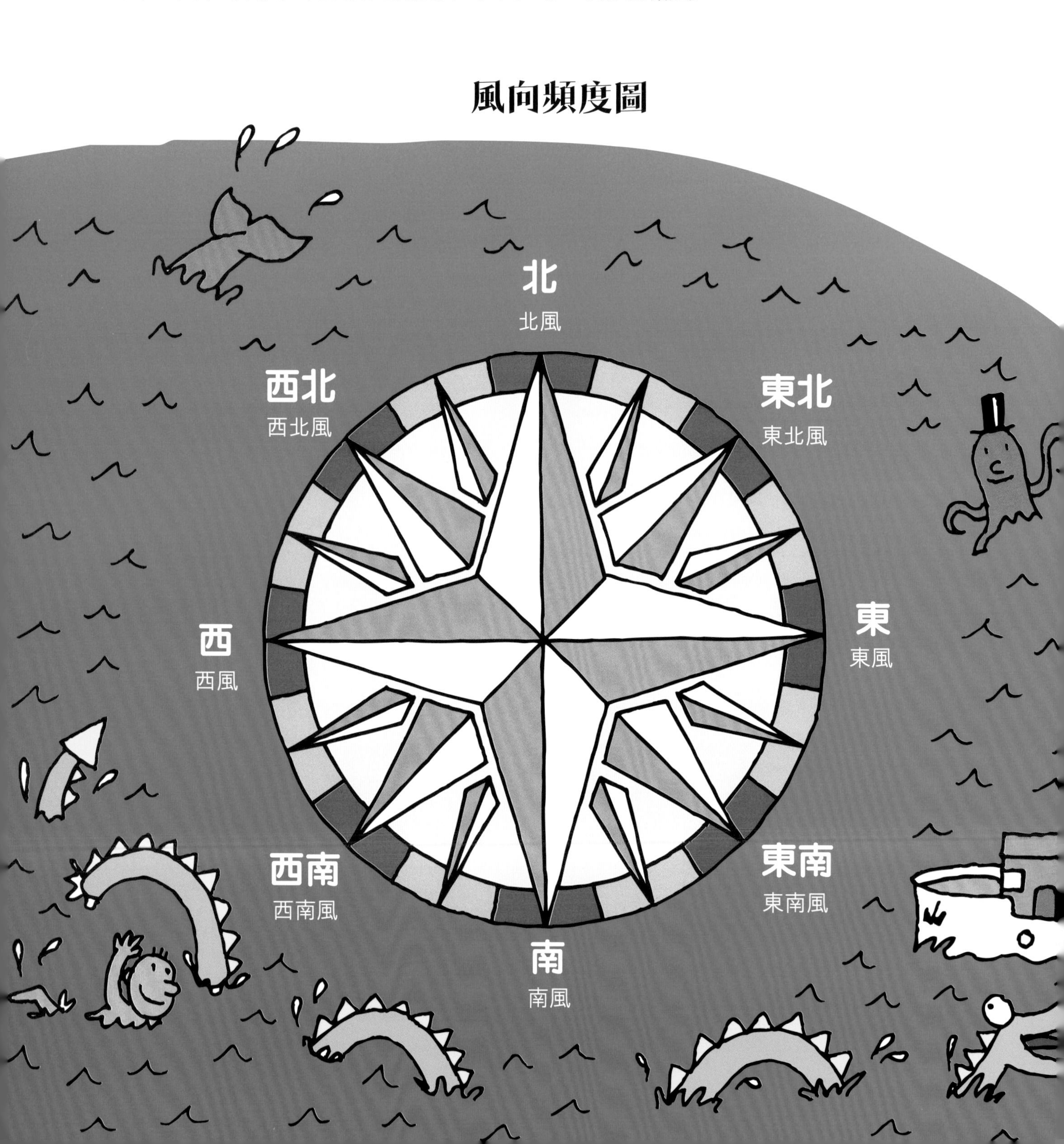

今天，人們發明了許多特殊的工具幫助測定風向，例如「風向袋」和「風向標」。你可以在機場、沙灘和高速公路上，甚至一些鄉間的舊房子的屋頂上看到它們的蹤影。

在你騎自行車的時候，會很容易感覺到風的流動。如果風從你的背後吹來，那就叫「順風」，因為它會幫助你前行；如果風是迎面吹來的，你就會發現自己必須花更大的力氣踩踏才能前行，這就是「逆風」了。

現在就讓我們回顧一下與風相關的知識。你懂得回答以下的問題嗎？說說看。

風是怎樣形成的呢？

它有哪些作用呢？

如果風力達到6至7級，會發生什麼事？

如果風力達到10級以上呢？

你能通過這幅圖畫判斷出這陣風是從哪個方向吹來的嗎？

這幅圖叫做什麼？它有什麼功用呢？

詞彙解釋

蒲福氏風級 這是十九世紀英國海軍上將蒲福提出的一個將風力按大小程度分級的方法。風力越大，級數越高，每級均有相應的術語來描述風力。

熱氣球 是人類早期的飛行工具。它是一個巨大的氣球，帶有一個大型的籃子用來載人。它的設計利用了熱空氣上升的原理，只要在氣球下點燃熱空氣，熱氣球就會飛上天空。

風帆 利用風力在水上進行衝浪的工具。

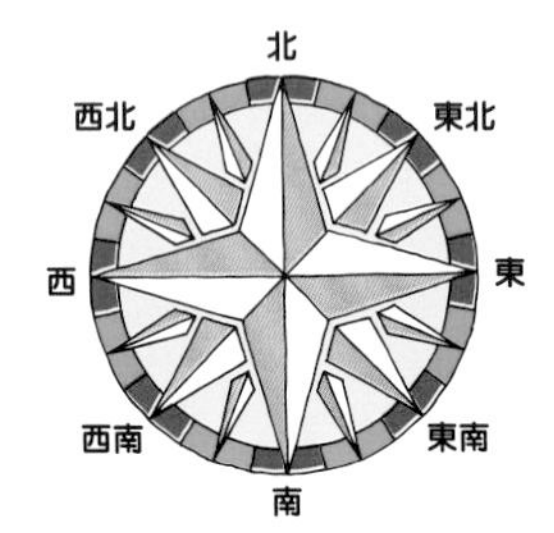

風向頻度圖 一種星形圖，用來標示風吹來的方向和對應的名稱。

風向袋 用輕質布料做成的袋子，呈管狀，袋口寬闊。使用時把它掛在竿子上，有風吹過時它會被吹得鼓鼓的，這樣人們就可以根據袋子飄動的方向來判斷風向。

風向標 一種用來測量風向的工具，常見的造型包括旗幟或公雞的形狀。風向標的箭頭會指出風吹來的風向。

氣旋和龍捲風

相信大家看新聞的時候，都應該有聽到過有關颱風或龍捲風的報道？你也許曾經在電影裏看見過這些場面：天空中出現了巨大的空氣旋渦，還有它對環境造成的嚴重破壞。

事實上，氣旋和龍捲風是最為壯觀的自然現象，但與此同時，它們的破壞力也是相當強大的。那麼，氣旋到底是怎樣形成的呢？要了解它們的形成原因，首先你必須知道，在世界各地不同的地方，空氣會以不同的速度變熱或變冷，大量的冷空氣和熱空氣會圍繞全球移動，經常會發生碰撞，產生大氣擾動，就很可能會帶來強烈的天氣變化，其中就包括氣旋和龍捲風。

現在，就讓我們再走近看看，一起來認識這兩種壯觀又驚人的自然現象吧。

氣旋的活動範圍很廣，是一種既普遍又危險的自然現象，從產生到發展再到消失，這個過程周而復始，不斷重複。強烈的氣旋可發展成風暴，例如颱風和龍捲風。

那麼，氣旋到底是怎樣產生的呢？當熱空氣的氣團遇到冷空氣的氣團時，兩個氣團相交的區域就會形成一道鋒面，即是冷、熱空氣相遇的交界面。

當鋒面出現時，就很可能會帶來強烈的天氣變化。這是由於在鋒面的不同位置，溫度和氣壓存在着相當巨大的差別。熱空氣會上升，向外流動，遇上冷空氣時會冷卻下沉。在過程中，兩個大型的氣團會不停地重複擾動，形成雲朵和強風，慢慢開始擴散並急速旋轉，因而形成了颱風。

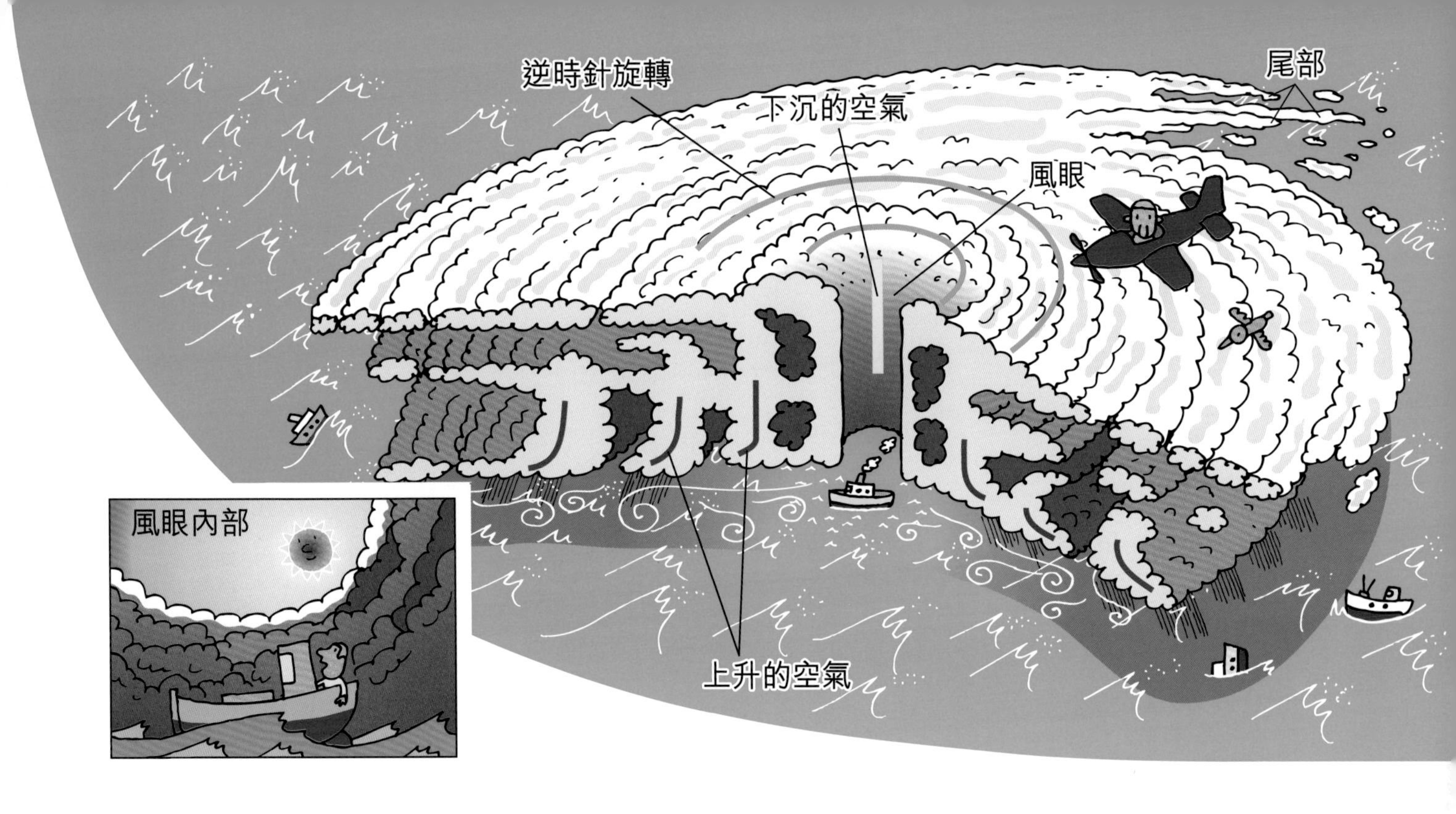

現在，就讓我們近一步來看看颱風的結構。颱風就像一團在旋轉的巨大的雲朵，中央有一個洞，這個區域叫做「風眼」，約有二十多公里寬。有時候，我們在衛星圖像上也可以看見那些巨大的風眼。這裏是一片平靜的區域，天氣晴朗。在風眼外，則是急速旋轉着暴風和一層層黑壓壓的烏雲。這些烏雲會帶來滂沱大雨和狂風雷暴等惡劣的天氣。

貓頭鷹告訴你

因為地球自轉的緣故，在我們所處的北半球上，氣旋是以逆時針方向旋轉的，而在南半球上，則是順時針。水池裏的水也一樣：當它流入下水道的時候會產生旋渦，這個旋渦在北半球是逆時針旋轉，在南北球則正好相反！

那我們怎樣才能知道氣旋就要來臨了呢？首先是天空中反常地出現大量的卷雲。如果你看到卷雲，那就說明天氣將會變得惡劣。其次是大氣壓會降低，雲朵會變灰變厚，然後開始降雨。這說明「暖鋒」即將到來。緊接着來臨的是「冷鋒」：它會帶着烏雲、大量降雨或冰雹。只有在「冷鋒」階段結束後，天空才會恢復晴朗。

1947年起，美國的氣象學家便開始給颱風命名，在北半球，最初的命名原則是按英文字母順序排刑的的四組女性名字，輪流使用。而南半球所發生的則用男性名字，比如第一個產生的氣旋叫Alex，第二個叫Bonnie，接着是Charley，以此類推。直到2000年，世界氣象組織颱風委員會給颱風的命名作出變革，由太平洋地區的國家共同提供一共140個名字，這些名字原文的意思包括了動物、植物、星象、人名和神話人物，然後由日本氣象廳負責根據列表去把颱風命名。

地球上的不同地區對氣旋都有着不同的叫法。例如在中北美洲、墨西哥灣和加勒比海地區，「氣旋」就被叫做「颶風」；這個詞語源於古瑪雅語「烏拉坎」（Huracan），表示「魔王」。到了16世紀，西班牙殖民者就用這個詞語來描述他們所觀察到的最猛烈的風暴，也就是颶風（Hurrican）。而在亞洲太平洋國家或地區，人們則會把「氣旋」稱為「颱風」，意思是「超大的風」。

貓頭鷹告訴你

你知道嗎？風暴的形成與氣壓和空氣的流動有關，低氣壓區被稱為「氣旋」，通常會帶來強風、大雨或雪。而高氣壓區則被稱為「反氣旋」，它在夏天出現時會帶來晴天，但在冬天出現時則造成大霧和多雲的天氣。

除了颱風，龍捲風也是一種可怕的自然現象。龍捲風常常又稱為「旋風」，它也是由冷、熱空氣的碰撞，暖空氣上升旋轉起來而產生的，然而它的特性和氣旋不一樣。龍捲風的直徑只有約500米，行進的距離也不會超過30公里，而且持續的時間往往只有短短幾分鐘。然而，龍捲風的體積雖然比氣旋小，破壞力卻要大得多：在它內部所颳起的狂風，擁有我們無法想像的威力。

現在，還是讓我們來看看，龍捲風究竟是怎樣形成的。當冷氣流和熱氣流發生碰撞，它們就會製造出一個低壓區，而在這個區域裏，會形成一種旋渦形的結構。旋渦裏的空氣會繞着中央的空洞越轉越快，並不斷吸收其他的空氣，就好像一個吸塵機。因為旋渦外部和內部的壓力差別十分明顯，所以就產生了極為猛烈的大風，而這種風的速度，甚至能達到每小時500公里，相當於小型的噴射機的速度！

龍捲風就是在雷雨雲底部形成的，然後，它會伸展到地面，並顯現出不同的形狀：有時像漏斗雲，有時又像是一根搖晃的繩索。

龍捲風威力驚人，它會破壞所經過的地方，給人們帶來巨大的災難。它猛烈的旋風能把樹木吹至連根拔起，甚至把整幢木屋捲上天空。它又會把汽車吹起帶到半空中，拖上好長一段路，最後猛烈地砸到地上。

那麼，人們到底如何估計龍捲風的強度？那是根據「藤田級數」來進行分類，分為0至5級。這個級數的標準所表示的是風力的破壞程度，而不是風力本身的大小。這是因為，龍捲風在一片人煙稠密的地區，即使是風力小的龍捲風，也會為該地區造成巨大的災難。

貓頭鷹告訴你

原來，龍捲風的形成原因也可以是人為造成的。1945年，美軍在廣島投下的原子彈就引發了好幾場龍捲風，因為當時原子彈的爆發，釋放出巨大的熱能衝上大氣層，令空氣急劇地流動。

龍捲風只在地球上某些特殊的區域出現。在那些地方，冷、熱空氣碰撞頻繁，而且時常發生可怕的暴風雨。在美國中西部地勢平坦的州份地區一帶，因為每年都會形成的大量龍捲風，被人們稱為「龍捲風巷」；還有，許多「風暴追逐者」——比如熱衷冒險或從事科學研究的人——會不遠萬里趕去那裏，千方百計地接近龍捲風，並為它們拍下照片。當中也有從事氣象研究的專家到來進行研究，幫助人們提高預測龍捲風的預報和準確性。

美國是一個常常受到龍捲風吹襲的國家，每年平均遭受約1,000次龍捲風的侵襲。其實，香港也曾經出現過龍捲風和水龍捲，幸好這些龍捲風不及美國那些巨大的龍捲風那麼危險！而水龍捲就是在海洋或湖泊上形成的龍捲風，它會吸起大量的水，甚至把水裏的魚類也吸走呢！

貓頭鷹告訴你

雖然我們現在有許多儀器幫助預測天氣，例如環繞地球飛行的衞星能夠提前好幾周對巨大的氣旋作出預測，但是，至今世界各地的天文台都難以準確地為市民預報龍捲風何時吹襲。因為龍捲風的形成，往往涉及一些特變的天氣條件。

現在就讓我們回顧一下與氣旋和龍捲風相關的知識。你懂得回答以下的問題嗎？說說看。

氣旋是怎樣形成的呢？

氣旋有多大，又有多快？

氣旋還有什麼其他的名稱嗎？

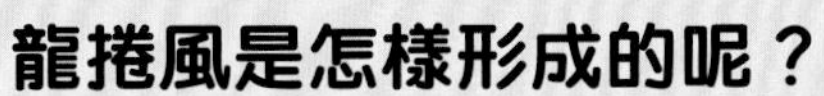

龍捲風是怎樣形成的呢？

龍捲風有多大，又有多快？

在世界上，哪個國家最常遭受龍捲風的吹襲？

詞彙解釋

旋渦 空氣或水流的急速運動，呈螺旋形，可以把行經路線上所遇到的一切捲入其中。

大氣擾動 雲、風和雨的到來所引起的天氣惡化。

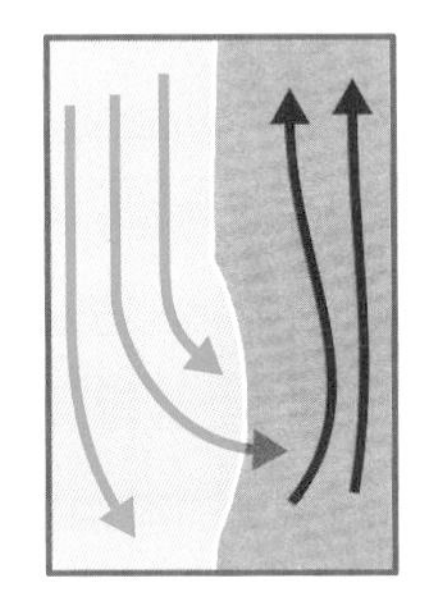

鋒面 冷空氣和熱空氣相遇時的交界面。

卷雲 高空地區小片的白色雲朵，形狀像條紋或斑點，它們都是由冰晶成的。

大氣壓 大氣壓內空氣粒子的重量。

旋風 一股旋轉的空氣，中心的氣壓非常低，外形多呈漏斗形的旋渦，在雷雨雲底部形成，並像條尾巴一樣逐漸延伸到地面。

大火

當地球上還沒有人類的時候，就已經有了火的存在。不過，在那時候，即使火勢很大，也不會像今天這樣造成嚴重的後果，因為在那個時候，地球表面全都覆蓋著森林，就算被燒毀，新的樹木很快又會再長出來。

多虧了火，人們才能發現這種新奇的現象，並找到辦法不讓它熄滅，用它來取暖、做飯，並驅趕猛獸。後來，人類還學會了用摩擦兩根木棍來生火呢！

雖然火能給我們帶來很多好處，但是當大火失去控制時，就會造成各種災難。

現在，就讓我們翻到下一頁，看看火是怎樣形成的，然後學習如何預防火災吧！

你是否有過這樣的疑問：森林大火究竟是怎樣產生的呢？

大火可能是大自然現象造成的（比如一棵大樹被閃電擊中，起了火），也有可能是因為我們人類的疏忽所引起的，比如人們丟在乾燥樹葉旁的碎玻璃，它會像凸透鏡一樣聚集太陽的熱能，從而點燃樹葉；又比如人們隨意扔在街邊的煙頭，一旦碰到矮樹叢，火種就很容易將樹葉點燃。

遺憾的是，在很多情況下，人們卻是為了貪一時方便而留下火種或故意燃燒樹木而引發森林大火，摧毀整片樹林。如果遇上乾旱與炎熱的天氣，加上陣風，風會煽動火焰，那麼火勢就很容易變大。這就是為什麼在乾燥的日子裏特別容易發生森林大火的原因了。

貓頭鷹告訴你

2016年5月1日，加拿大艾伯塔省發生了非常嚴重的山林大火，火勢乘風蔓延至麥克默里堡。那場山火焚燒了整整兩個月，燒毀了590,000公頃的面積，動用過百個消防員，直至7月5日火勢才受到控制。這場大規模的山火演變成一場可怕的生態災難，引起了全世界的關注。最終，大火燒焦了成千上萬棵樹木，奪去了許多動物的生命，還有附近的地區有超過二千個家庭和房屋被摧毀了。

別以為大火只會在樹林裏出現。即使是在城市裏，在交通工具上，或是在其他建築裏，火災也同樣可能發生。在這些情況下，燒毀的可就不是樹木了，而是劇院、房屋、汽車、飛機、輪船等等。這些火災大多是由易燃物引起的，比如紙張、木頭、布匹、塑料、酒精，還有汽油。只需要爐子上的那種小火苗，或是電器故障（也就是短路）引起的小火花，就足以令這些材料着火，從而引發一場難以撲滅的大火。

要想滅火，第一步就是切斷氧氣。要知道，氧氣可是火災最大的幫兇。

貓頭鷹告訴你

城市裏那些最可怕的火災，往往不是人為造成的。而是一種自然現象所造成的，那就是地震。地震會破壞煤氣管道，只是一棵小火苗，就有可能引發一場巨大的火災。

如果是一場小火，那麼要撲滅火焰的方法就不一定只是往火上澆水，一條毯子或是一些沙子也已經足夠用來撲熄火種。當然，你也可以使用滅火器，它們通常都放在觸手可及的位置。

如果火災發生在室內，那麼最可能威脅我們生命的就是由大火燃燒時產生的濃煙，因為濃煙會導致人們窒息，無法呼吸。在這種情況下，我們需要立刻想辦法驅散濃煙，例如打開窗戶，並用濕毛巾捂住口鼻，維持呼吸暢順。

如果火勢很大，那就必須由消防員乘坐消防車前來滅火。消防車配有大水箱和長梯子，能夠幫助消防員抵達大廈高層，滅火救人。消防員會穿上用防火物料做成的保護衣來保護自己。會用水龍帶：那是連接在消防車或是消防栓上的粗大水管，向火場射水，撲滅火焰。

如果火災發生在樹林裏，那麼首先需要做的，就是清除燃料，以防止火勢進一步加大。

在這種情況下，消防員會嘗試先剪斷火源附近一些樹木的枝葉。如果大火蔓延，面積很廣，那麼就需要使用專門的消防飛機。這種飛機的「肚子」可以打開，當飛機在海上或是湖上滑翔時，便可以把水吸進肚子裏，然後直接灑到火上。也有一些直升機配有專門的水桶，通過繩索與機身連接，從而進行裝水和灑水的任務。

貓頭鷹告訴你

如果森林面積很大，那麼得到控制的大火反而會帶來好處。比如1989年，在美國著名的黃石公園就曾爆發過一場大規模的火災。可是在火災後，重生的森林反而比之前更加蓬勃健康了。

火災的預防十分重要。這不僅是因為大火一旦形成，就很難撲滅，還因為它會帶來嚴重的後果，例如大火會把樹木燒成灰燼，也會燒毀房屋和街道，還會導致人類和動物受傷或是死亡……這些損失在很長的一段時間裏都難以修復。此外，有些土地沒有了樹根的抓緊，土地在下雨之後也很容易塌方，給生命和財產帶來嚴重的傷害。

要是大量森林遭到大火燒毀，還會給地球上的生命帶來可怕的後果，因為沒有了樹木來製造氧氣，我們所呼吸的空氣就會變差，危害健康！

今天，在城市裏，要及時發現火災，我們主要通過市民的通報。在外國，擁有大片叢林地區的地方則主要通過防火瞭望塔和在高處飛行的飛機幫忙。人們更展望未來可以利用衞星來幫助偵測叢林火災。

就連你，也可以貢獻出自己的一份力量，和大家一起預防火災。怎麼做呢？很簡單！比如說，不要在樹林裏點火；如果看見火焰，哪怕是一棵小小的火苗，也要立即打電話報警！

貓頭鷹告訴你

在香港，每年都會發生很多宗山火，尤其是在掃墓時節，例如在重陽節一天之內就可以發生超過一百宗山火。2004年，八仙嶺郊野公園發生了一宗釀成人命傷亡的嚴重山火，這場山火燃燒了34小時才被撲滅，燃燒的面積高達105公頃，燒毀了11,000株樹木。2017年，1月20日在沙田水泉澳山頭一帶曾發生了一場焚燒了46小時的山火，火場面積達40公頃。

現在就讓我們回顧一下與大火相關的知識。你懂得回答以下的問題嗎？說說看。

大火是怎樣形成的呢？

哪些材料會增強火勢呢？

大火一般由誰來撲滅？

遇上森林出現大範圍的火災時，消防隊通常使用什麼來滅火呢？

大火會造成哪些後果？

我們該怎樣進行預防火災呢？

詞彙解釋

易燃物 遇上高温或火種時，會迅速燃燒起來的物質或材料，比如汽油、木頭、紙張和某些油漆。

滅火器 裝滿化學泡沫的滅火用品，用來撲滅火源。

燃燒 燃料在有氧氣的情況下加熱並釋放熱能的現象。

防火物料 能夠防止火焰蔓延的材料，比如石棉或覆蓋在房屋壁爐外的耐火磚。

消防栓 從水管中輸送水源、並給水泵供水的裝置，用於滅火。

燃料 能夠燃燒的物質，比如紙張、木頭、炭、石油和酒精。

四季

一年又一年，我們早已習慣了時光的流逝，卻從來沒有想過，為什麼在一年之中，會有四個季節呢？而又是為什麼，冬天過去了，春天就會來到，接着又是夏天和秋天？這是因為我們生活的地球是一個球形的天體。地球除了會自轉外，還會繞着太陽公轉……

不過，還是讓我們依次來解決剛才那兩個不同的問題吧。首先，到底什麼是四季呢？趕快翻到下一頁，繼續讀下去吧！很快你就能明白這是怎麼回事了！

隨着地球不停地自轉和公轉，在一年的時間裏，太陽光照射地球的強度和時間長短是不一樣的，因而讓我們擁有不同的季節：比如冬天，太陽在天空沒有掛得那麼高，較早下山，所以沒有多少時間把大地烤暖；而到了夏天，太陽會高高掛在天空中，陽光猛烈，並在天空中停留好長的一段時間，較晚下山。

不過，有一點你必須知道，那就是太陽本身並沒有轉動，而是地球按着軌道繞着它轉，這就是「公轉」——雖然在我們看來，明明是相反的。地球圍繞太陽旋轉一圈需要一年（約365天），造成了循環不息的季節。

除了公轉外，地球本身還會繞着自己的自轉軸旋轉，就像是一個陀螺在快要停下時那樣。然而，和陀螺不一樣的是，地球自轉的速度從來不會減慢，而且是稍微傾斜着旋轉的。

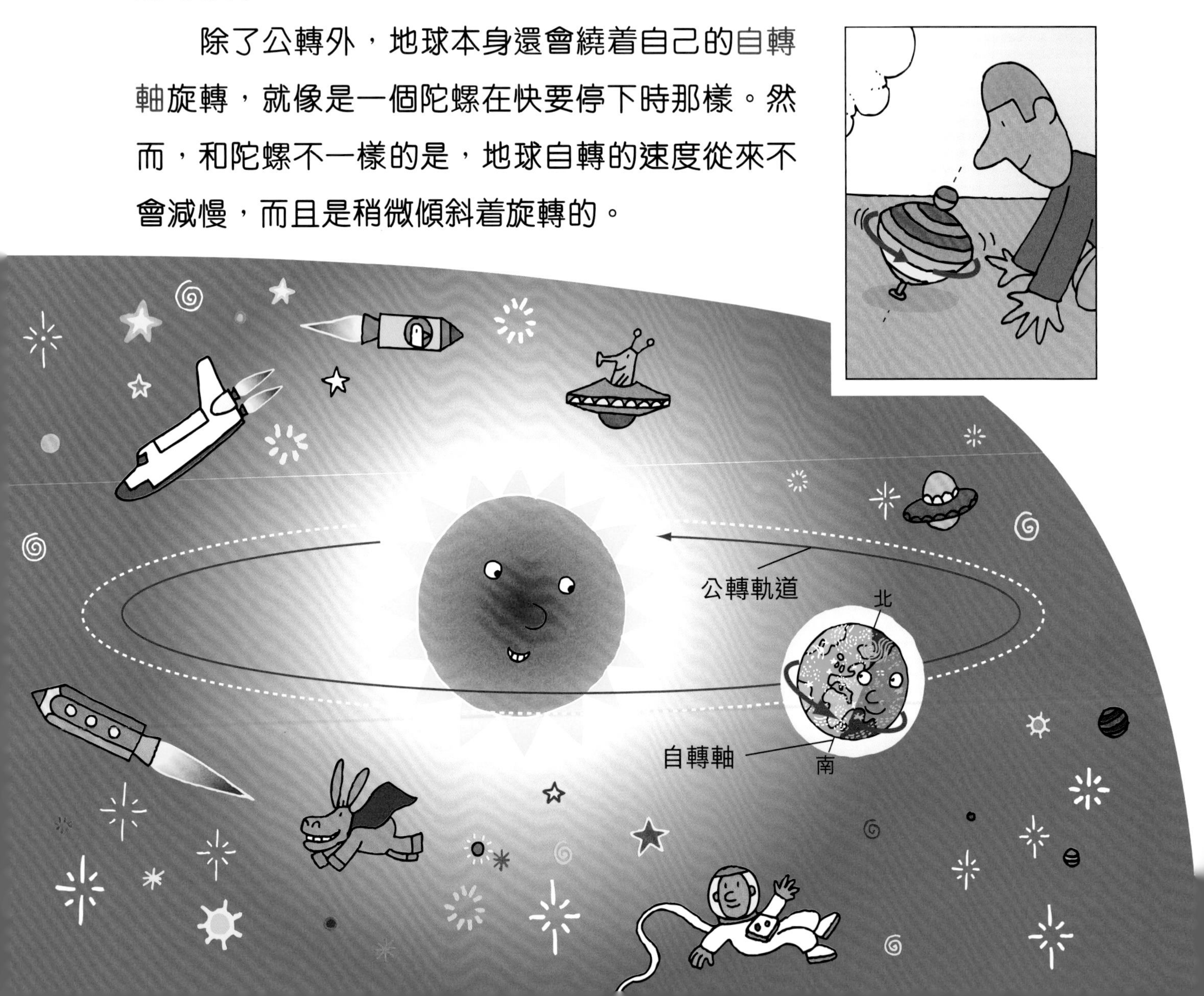

由於地球自轉時是稍微傾斜的，令陽光不會均勻地照遍地面，地球上才會有不同的季節。假如地球是垂直地自轉的，那麼四季就不會存在了，而且白天和黑夜的時間將會始終相等。

冬天時，太陽距離地平線更近，陽光總是斜射，帶來的熱能較分散，因為它必須穿過更長的距離。到了夏天，太陽的高度則會達到頂點，陽光幾乎是垂直射向地面的，帶來的熱能也更集中，因為它所穿過的距離要比冬天時短得多。

貓頭鷹告訴你

原來，火星上也有四季呢！不過，因為火星圍繞太陽旋轉一圈的時間幾乎是地球的兩倍，所以火星上的一年有680多天，而單單一個季節就會持續將近8個月的時間！

因為地球是斜斜地轉動，每年中有數個月裏，地球的一半會受到強烈的陽光照射，而另一半球則離太陽較遠，陽光沒有那麼集中。就這樣，地球的位置會在一年裏逐漸逆轉，讓我們擁有不同的季節。

在6月中的一天，地球會轉到這樣一個位置：它的北半球正對着太陽。在這一天的正午，陽光會垂直照射在北回歸線地區，就在6月21日前後那天，稱為「夏至」。這時候的北半球是夏天，日長夜短。在北極圈地區，甚至會出現整整六個月的「極晝」現象，即太陽不會下山。之後，到了12月22日前後那天，稱為「冬至」。當天，地球就會完全轉向了。這時，陽光會垂直照射在南回歸線地區，南半球是夏天。而北半球則開始了寒冷的冬天：日照時間越來越少，黑夜變得越來越長。北極圈也會開始經歷六個月的「極夜」，陷入漫長又寒冷的黑暗中。

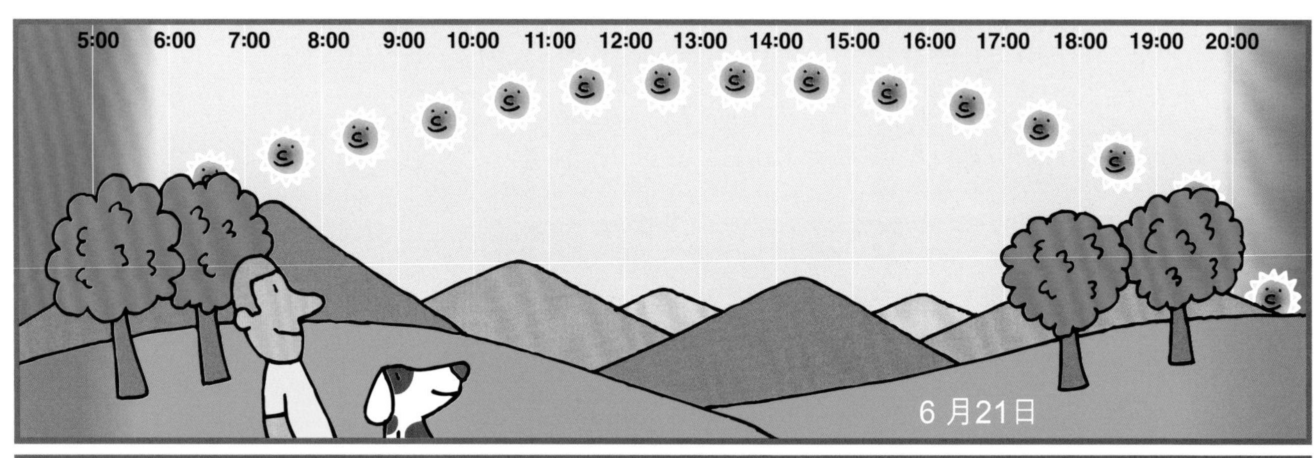

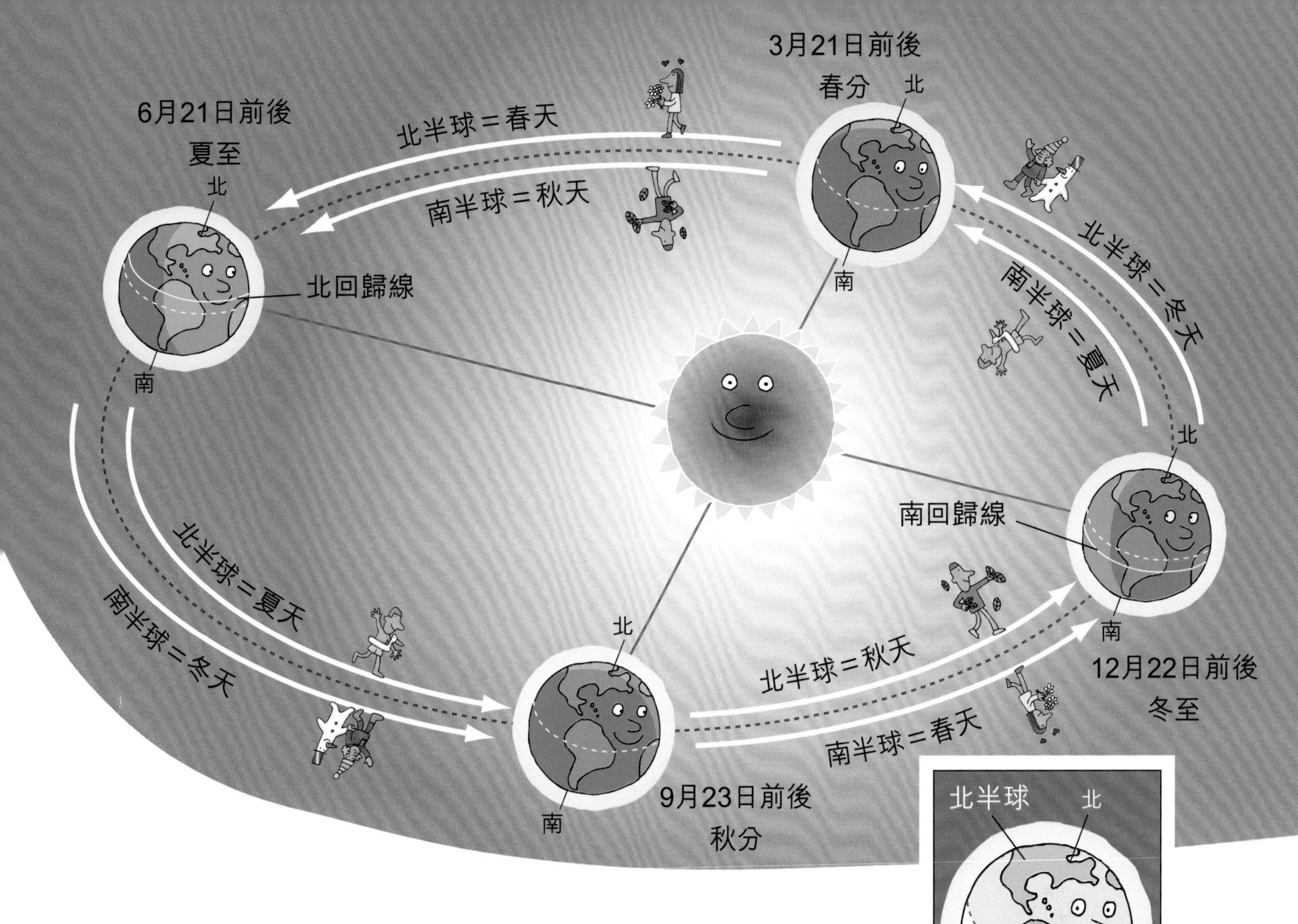

在夏至和冬至之間的，分別是春分和秋分。在這兩天裏，陽光會垂直照射在赤道地區，白天和黑夜幾乎等長（當然，在地球上的不同地區還是會有所差異）。這兩天分別是3月21日前後和9月23日前後。

貓頭鷹告訴你

由於南北半球的四季順序正好相反，所以當澳洲迎來夏天時，亞洲正處於冬天；當歐洲迎來春天時，南非則處於秋天。反之亦然。

在地球上，各個地區的四季都有不同的特色。然而，基本來說，每一個季節都會有明顯的氣候特徵，例如在氣溫上的冷熱變化、空氣濕度的變化、日照時間的長短變化等。

春天象徵萬物生長；夏天時，天氣炎熱，較多雨水；秋天時，天氣乾燥而涼爽；而說到冬天，我們則會馬上想到天氣寒冷。

在不同的地區，農民會按照氣候來進行種植耕作，一般多在秋天得到蔬果收穫。但也有些地區的農民會在秋天犁地，在冬天播種，在春天和夏天收穫。其實，植物各有不同的特性，因此土地在一整年裏都會結出不同的果實，開出不同的花朵。這就是為什麼冬天也會有橙子、秋天也會有其他蔬果的原因。

漸漸地，人類不再滿足於大地在某個特定季節才結出某些農產品，例如希望在聖誕節也能吃到草莓，在一年中的任何時候都能吃到蜜瓜。起先，人們只是從處於不同季節的國家進口這些水果，後來發明了溫室來營造適合耕作的氣候。溫室是一個以玻璃建造或塑膠棚蓋起室內環境，避免農作物遭受日曬雨淋，讓農民可以控制室內氣候來種植。即使在最寒冷的季節，溫室裏也能生長出番茄和各類非當季的蔬果。

貓頭鷹告訴你

在古代社會，大部分人以務農為生，農夫們會根據過往的經驗，製作出年曆來記錄下某些季節的氣候特徵，藉此幫助農耕。

冬天是休息的季節：因為日照時間很短，天氣又冷，所以動物和植物都減少活動，有些動物更會整個冬季都在冬眠。不過，你可別因此就認為冬天是多餘的：在這個季節裏，無論土地還是其他的一切，都在重新儲蓄能量。

到了春天，萬物蘇醒，動物也從冬眠中醒來，準備利用這個美好的季節，繁衍後代。人類生育繁殖的時候不用顧慮天氣時節，可是動物卻不一樣。牠們生活在大自然裏，受制於氣候環境，於是牠們都會選擇在和暖的季節繁殖下一代，藉以增加幼崽存活的機會。

進入夏天後，幼崽便能茁壯成長。不過，當牠們剛開始學習生存技能的時候，秋天又不知不覺地來臨了。這時，所有的動物都會儲存能量，準備過冬。

不過對人類來說，秋天依然是個收成的季節，因為他們還要採摘許多的果實，尤其是甜美多汁的葡萄，它既能被食用，又可以用來釀酒。接着，當冬天終於來臨時，由於天氣寒冷，人們也會減少在互外活動。有些動物則會躲進獸穴，進入冬眠，依賴秋天時儲存的食物和能量支持到來年春天。

貓頭鷹告訴你

如今地球上的氣候正在改變，世界各地普遍出現氣候暖化，比過去更加炎熱，而且更出現季節不明顯的情況，也就是在不少地方的春天和秋天幾乎已經不存在了。從夏天到冬天的轉變也幾乎是在突然之間完成，這將會破壞地球上的生態系統。

現在就讓我們回顧一下，看看四季有哪些重要的特徵吧！請你根據下面的圖畫說說看。

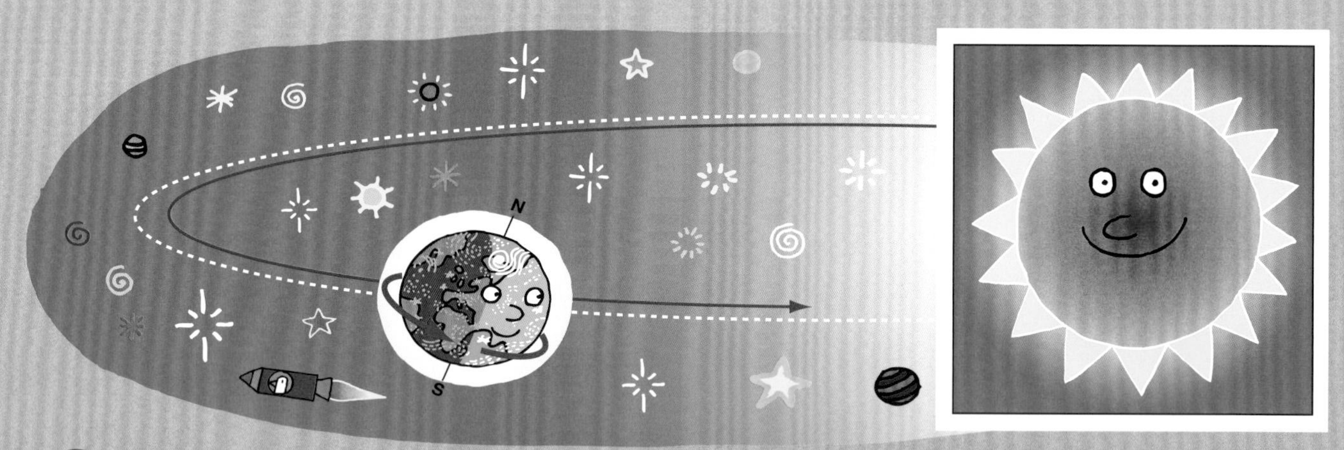

1 地球除了會斜斜地自轉，還會繞着太陽公轉。

2 在夏至那天，白天很長。那麼冬至呢？

3 當北半球進入夏天時，人們會做些什麼？

4 當秋天來臨時，天氣是怎樣的呢？

5 到了冬天，動物們會做些什麼呢？

6 當春天來臨時，天氣又會是怎樣的呢？

詞彙解釋

軌道

地球和其他行星圍繞太陽旋轉的路線；也指宇宙中任何一個天體圍繞另一個天體旋轉的軌跡。

自轉軸

一條由上而下貫穿北極和南極的虛構線段，地球會繞着它稍微傾斜地進行自轉。

半球

指把地球分成兩半。南極與赤道之間的半個地球，稱為「南半球」；而北極與赤道之間的半個地球則是「北半球」。

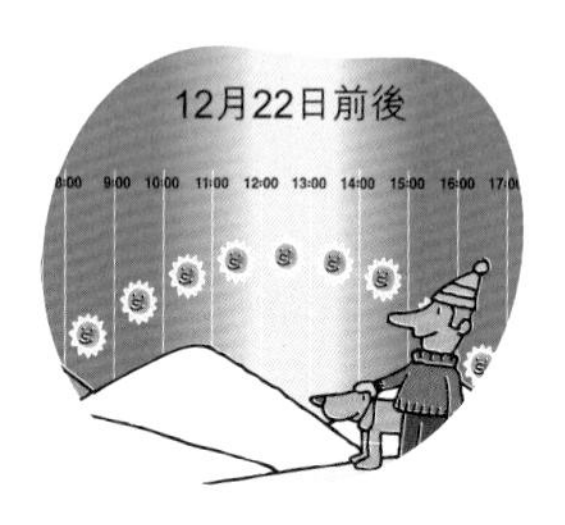

極晝

指在極地裏，太陽在六個月的時間裏都不會下山的自然現象。這是由於北極和南極並非正面面向太陽，而是傾斜地面向它。

赤道

一條圍繞地球中央的虛構線段，將地球分成兩半。赤道是地球最長的一條圓周線，長度約40,000公里。

冬眠

在寒冷的冬天裏，有些動物會進入沉睡的狀態，直至春天到來。

白天與黑夜

瞧！太陽正緩緩升起。在經歷了漫長的黑夜之後，天空又逐漸明亮了起來。新的一天開始啦！

太陽在天空中越升越高，我們在地上的影子也越變越短。到了中午，影子幾乎消失不見了！原來，是太陽升到了天空的最高點。

沒過多久，太陽又繼續移動了起來。不過這回，它開始往下了。於是，地面上的影子又開始拉長，光線也不再那麼強烈。不知不覺中，夜晚已經降臨。可是，當夜晚來臨的時候，太陽究竟跑到哪裏去了呢？

你想知道到底白天和黑夜是怎樣形成的嗎？在接下來的這段旅程裏，我將帶你去探索晝夜交替的神奇現象。準備好了嗎？出發！

如果我們看向天空，就很容易認為是太陽在不停地移動，因為從白天到晚上，它的位置會從東邊移動到西邊。其實，移動的並不是太陽，而是地球！實際上，我們的星球會像陀螺一樣進行自轉，除此之外，它還會繞着太陽進行公轉。地球每自轉一圈，需要24個小時，也就是一天。由於地球是個球體，所以太陽一次只能照到它的一半，而另一半則處於黑暗之中。要是地球不會自轉，那你能想像將會發生什麼情況嗎？那就是地球上有一半的地方會完全被黑暗籠罩，而且天氣一定冷極了！

幸好，地球是會自轉的，所以陽光會陸續照射到地球上的每一個部分，白天和黑夜也會因此輪流出現。所以，每當夜幕降臨，你準備上牀睡覺的時候，在地球的另一端，太陽才剛剛升起，而那裏的孩子，正要起牀上學呢！

貓頭鷹告訴你

我們習慣用「日」和「夜」來區分白天和晚上。地球自轉一圈需要一天的時間，也就是一個白天加一個晚上了。

地球被大氣層包裹着。大氣層保護地球免受陽光直射，反射了部分陽光。每天早晨，當太陽還沒探出頭來的時候，天邊已經染上了一層明亮的顏色。這個階段叫「黎明」。到了晚上，在夕陽西沉之後，天空會逐漸變暗，而這個階段，叫做「黃昏」。

當天空完全黑暗，就說明夜晚已經到來。這時，月亮和星星就會出現在空中。

月亮是一個小型天體，不僅會自轉，也會繞着地球公轉。雖然它看起來好像星星一樣會發光，但其實，月亮是一顆衛星，它是無法自己發光的。我們之所以會在地球上看見月亮這樣光亮，是因為它反射了太陽的光芒。

你知道嗎？和月亮不同，星星總是在天空中閃耀着光芒，即使在白天也是，只不過是白天的陽光太強，所以你沒法看見它們。

貓頭鷹告訴你

當天空中出現滿月的時候，我們也許能看見它表面上那些深深淺淺的大斑點：那就是所謂的「月海」。其實，月球上並不存在海洋，那只是月球上地勢較低的區域，就像地球上的山谷一樣。

你一定發現了這樣的一個現象：在冬天上學的時候，下午才過了一半，天就已經開始暗了，而到了暑假呢，即使是在吃晚飯的時候，光線依然十分充足。

這就說明，在一年中的不同時間裏，白天和黑夜的時長並不總是相同的。例如：在北半球，冬天時太陽和地平線之間的距離短，所以光照的時間也會很短，黑夜會更長。而到了夏天，太陽會升得更高，所以晝長夜短。越是靠近南極和北極，晝夜長度的差別就越大。

你知道嗎？在極圈附近的國家，夏天時太陽從不下山，白天會持續整整二十四個小時，而到了冬天呢，白天卻從來不會出現，夜晚漫長得像是沒有盡頭。

貓頭鷹告訴你

假如世上只有白天，這不是很好嗎？當然不是！這不僅是因為人和動物都需要休息，而且在夜裏能睡得更好，也因為所有的植物和生命體都有自己的周期。這個周期受陽光支配，而休息是其中不可缺少的一環。

你有去過一個遙遠的國家旅行嗎？你有沒有發現，到了那裏之後，必須調整手錶上的時間呢？因為那個國家的時間，和你原先所在的地方時間不一樣。如果你從羅馬往紐約，那麼就得把手錶慢6個小時，因為紐約時間比羅馬慢6小時。可是，為什麼會有這樣的時差呢？

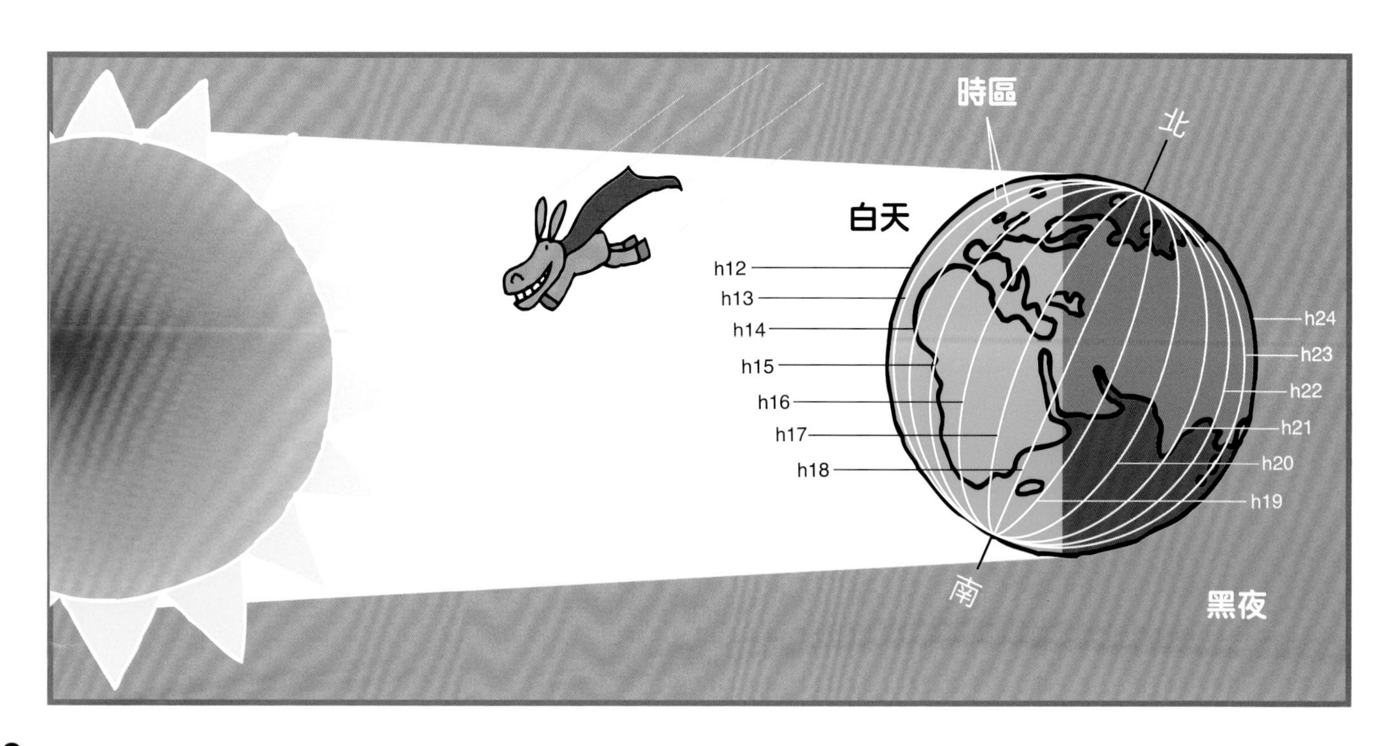

為了便於計算時間，人類把世界分成24個區域，稱為「時區」，對應的是一天中的24個小時（也就是地球自轉一圈所需要的時間）。

處在同一時區的所有國家都採用相同的時刻，但有些國家由於國土面積太大（例如美國），可能會出現4至5個不同的時刻！

貓頭鷹告訴你

航空服務員經常要到世界各地工作，穿梭不同的時區，到底他們是怎樣擺脱時差的困擾呢？其實，航空服務員在長途飛行的航班上會有輪流休息的時間。另外，有些航空服務員還會在長途旅程的前幾天就開始慢慢調整自己的作息時間，所以，當他們抵達目的地時，就能更快地適應當地的時間了。

現在就讓我們回顧一下白天和黑夜有哪些重要的特徵吧。請你根據下面的圖畫說說看。

1 為什麼白天和黑夜會交替出現呢？

2 當我們處在夜晚時，地球的另一端……

3 太陽升起前的階段叫黎明，那麼太陽下山後的階段叫什麼呢？

4 當夜晚來臨時，你會在天空中看見……

5 夏天時，太陽會升到距離地平線很高的位置，而冬天……

6 為什麼在世界上會有不同的時刻呢？

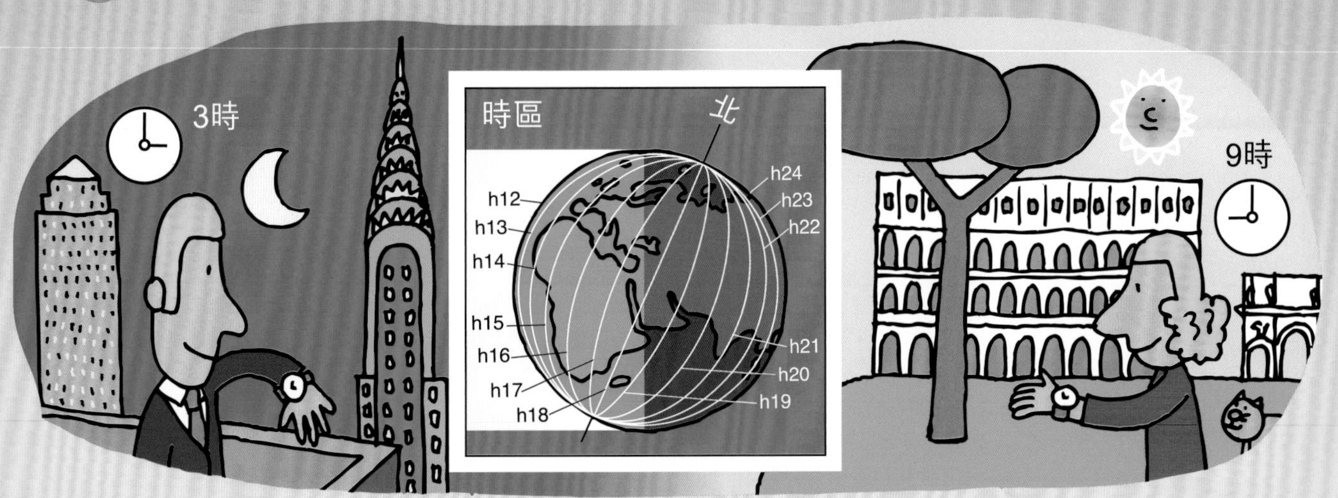

詞彙解釋

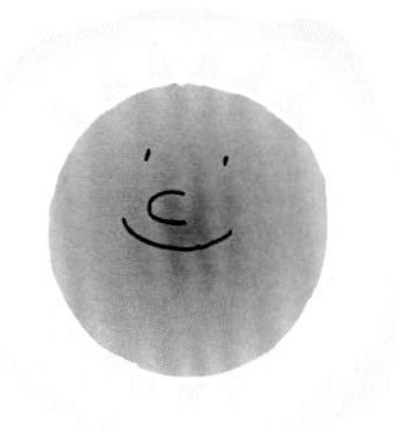

太陽　離我們最近的恆星，因為有了它，我們才能接收到光和熱。

大氣層　是一層厚厚的空氣，包圍着整個地球，主要由臭氧、氧氣、水蒸氣和二氧化碳組成。

月亮　圍繞地球旋轉的衛星，在它表面有無數個凹坑，是由隕石撞擊而形成的。

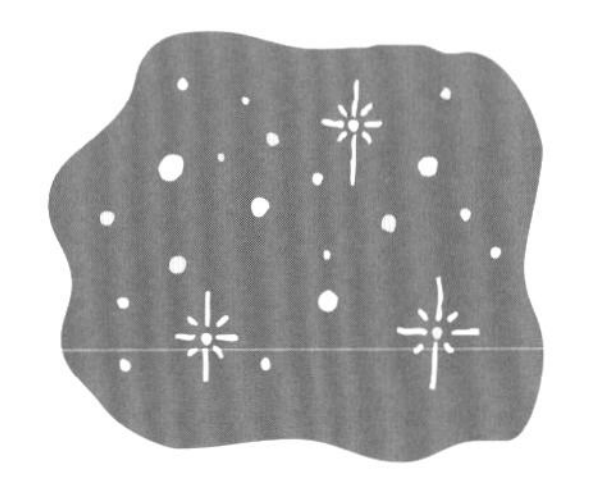

星星　由氫氣和氦氣構成的大型天體，能夠發光發熱。

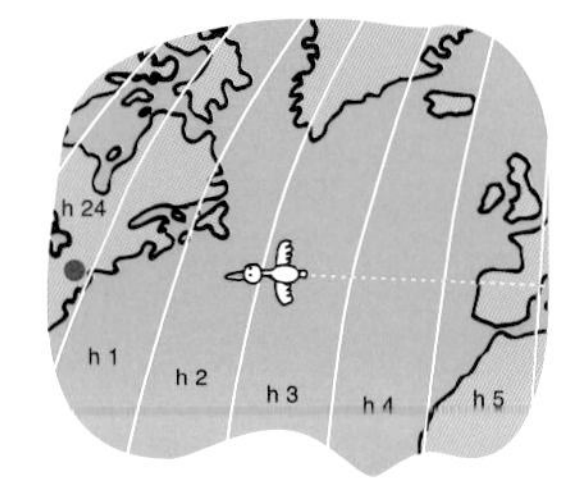

時差　用來表示世界各國之間的時間差異，例如紐約時間比羅馬時間慢6小時，這個時間上的差異就稱為「時差」。

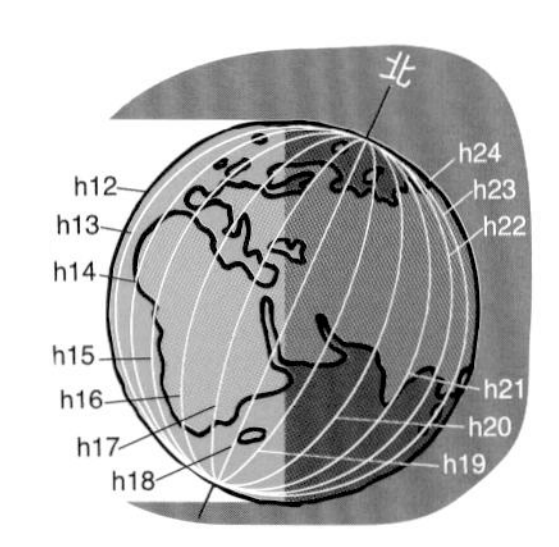

時區　用來表示地球上各個地區有不同的時間。